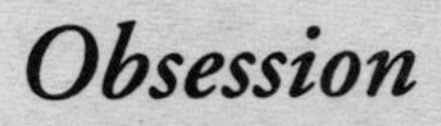
Obsession

Obsession

Sinclair Smith

Traduit de l'anglais par
Roland Olivier

Données de catalogage avant publication (Canada)

Smith, Sinclair

Obsession

(Frissons; 52-53)
Traductions de: Let me tell you how I died et I saw you that night!
Pour les jeunes.
Titre de la p. de t. addit., tête-bêche: Vagues de peur.

ISBN 2-7625-8141-9

I. Titre. II. Stine, R.L. Vagues de peur. III. Collection.

PZ23.S599Ob 1995 j813'.54 C95-940601-8

Dépôts légaux: 2e trimestre 1995
Bibliothèque nationale du Québec
Bibliothèque nationale du Canada

ISBN: 2-7625-8141-9 Imprimé au Canada

LES ÉDITIONS HÉRITAGE INC.
300, rue Arran, Saint-Lambert (Québec) J4R 1K5
(514) 875-0327

Chapitre 1

Laisse-moi te raconter ma mort. Je me souviens d'avoir vu du sang. Du sang giclant partout autour de moi. Je croyais baigner dans mon sang. Puis je compris que je flottais dans l'eau. Une eau que des spirales sanglantes coloraient en rouge vif, autour de mon cadavre. Je savais qu'il s'agissait de mon propre sang, mais, aussi étrange que cela puisse paraître, cela ne me dérangeait pas. Je me sentais calme et paisible.

Je m'aperçus alors que j'avais cessé de respirer.

— Réveille-toi !...

— Diane... s'il te plaît, réveille-toi !...

Des voix inquiètes traversaient l'épais brouillard de sommeil. Ce sommeil d'une chaleur douillette dans lequel je pouvais me soustraire au cauchemar obsédant qui hantait mon repos.

Ce cauchemar était effroyable ! J'y faisais la lecture d'un journal intime où quelqu'un décrivait sa propre mort. Mon regard terrifié voyait se dérouler, sous la plume de l'auteure, l'agonie et la mort qui, quelque part dans le temps, l'avaient sournoisement frappée. Or, cette écriture *était la mienne* !

Après cette macabre lecture, j'avais refermé le journal d'un geste brusque ; j'étais pétrifiée, incapable de bouger même un cil. Je me croyais morte.

Jamais l'image de ce journal intime ne s'effacera de ma mémoire. Il était rouge. Des dessins compliqués, *comme des tourbillons sanglants dans l'eau*, en ornaient la couverture.

J'essayai de m'enrober de la chaleur réconfortante de mon sommeil.

— Diane !

Contre mon gré, je sentis mon esprit réintégrer mon corps. J'allais me réveiller. Je résistai cependant.

— DIANE ! ARRÊTE DE NOUS FAIRE PEUR ! S'IL TE PLAÎT, S'IL TE PLAÎT RÉVEILLE-TOI !

Les aiguillons de la peur, qui accentuaient les voix que j'entendais, déchiraient la brume de mon sommeil. Je me résignai donc à en sortir.

À peine éveillée, je me rappelai que c'était le jour de mon seizième anniversaire de naissance. Ma meilleure amie avait organisé chez elle une surprise-partie en mon honneur. Ensuite, plusieurs autres de mes amies et moi y avions passé la nuit. Comme de raison, nous avions jacassé comme des pies sur différents sujets ; le party, les garçons en général et ceux pour qui, dans nos cœurs d'adolescentes, brûlait une petite flamme spéciale. J'avais dû m'endormir.

J'ouvris les yeux, croyant apercevoir les visages souriants de mes amies.

Au contraire, cependant, elles avaient toutes l'air effrayées ; leur visage était crispé et leur regard exprimait une vive appréhension.

Apparemment, elles s'étaient inquiétées de me voir dormir si longtemps d'un sommeil agité durant lequel j'avais prononcé des phrases incompréhensibles semblables à des formules magiques. Je leur dis que j'avais fait un cauchemar atroce que je leur raconterais plus tard. Pour le moment, leur avais-je dit, je voulais en noter les détails dans mon propre journal intime, de crainte de les oublier.

Naturellement, on me taquina. Quelqu'un me lança même un oreiller.

— Elle et son fameux journal. Je te dis que c'est pas drôle.

— Voyons, laisse-la faire ; c'est sa fête, aujourd'hui !

Je dois dire tout de suite que j'ai commencé à tenir mon journal quand j'étais très jeune. Un jour, j'avais mentionné la chose à monsieur Paris, notre prof de français. Il m'avait alors suggéré d'écrire mon journal comme s'il se fut agi d'une nouvelle. Il m'avait dit que cet entraînement me serait fort utile, si je voulais plus tard embrasser la carrière d'écrivaine. Je suivis donc son conseil.

Maintenant, j'écris dans mon journal ma vie de tous les jours, à la manière d'une nouvelle. Une nouvelle vécue dans laquelle se retrouvent toutes mes expériences, toutes mes émotions et tous les événements qui façonnent ma vie et font vibrer mon cœur.

Mais ce jour-là, avant de commencer à mettre sur papier les divers incidents qui avaient marqué les dernières vingt-quatre heures, j'interrogeai mes amies.

— Hé ! les filles… Qu'est-ce que j'ai dit pendant que je dormais ?

— Je ne sais pas trop, me répondit l'une d'elles. Mais tu parlais avec une voix qui semblait venir d'un autre monde… Une voix d'outre-tombe !…

Chapitre 2

« COCKTAIL MANDARINE OU FRUIT DÉFENDU. »

Cette voix étrange qui semblait venir de l'au-delà résonnait encore dans ma tête. J'avais du mal à reprendre mes esprits. J'étais troublée par ce cauchemar que j'avais fait, d'abord lors de mon party d'anniversaire puis au cours des deux dernières nuits.

Cocktail mandarine ou Fruit défendu. Ces mots se répercutaient en écho sur les parois de ma boîte crânienne.

— Hé, Diane, as-tu choisi ? Que veux-tu boire ?

Cette voix me ramena à la réalité : c'était celle de Julie Diamant, ma meilleure amie. On la surnommait « Jade » et pour cause : elle adorait les bijoux, surtout les pendentifs de jade et d'argent. Elle prenait plaisir à les harmoniser avec ses boucles d'oreilles et ses innombrables bracelets.

Je m'aperçus qu'elle venait d'immobiliser sa Jeep rouge près de l'entrée du restaurant *La Porte des Caraïbes*. Un haut-parleur extérieur émettait un message commercial: Cocktail mandarine ou Fruit défendu! Savourez l'un de nos spéciaux de la semaine.

Je me penchai au-dessus de Julie et criai dans le haut-parleur:

— Fruit défendu!

À cette période-ci de l'année, le restaurant menait une campagne publicitaire pour annoncer son Festival des Tropiques. Chaque semaine, deux de ses breuvages exotiques étaient en vedette, comme pour nous faire partager un peu de ces douceurs des îles du Sud, de leur soleil tropical, de leurs lagons bleus, de leurs plages de sable fin que viennent ourler, d'une dentelle d'écume, les vagues caressantes et chaudes de la mer...

Je ne sais pourquoi, mais cette pensée m'attrista pendant que j'examinais, par la fenêtre de la portière, le petit centre commercial où était situé le restaurant.

Le feuillage des arbres plantés au milieu de la chaussée ondulait sous la brise en chuchotant à l'oreille de celle-ci d'incroyables secrets. L'air dégageait un parfum de printemps. Maintenant que la blanche léthargie de l'hiver s'était envolée, des odeurs de terre et de sève embaumaient l'atmosphère et nous faisaient sentir la vérité des paroles de Félix: «C'est grand la mort, c'est plein de vie dedans...»

— Tu as choisi le Fruit défendu? Moi, je trouve que le Cocktail mandarine a bien meilleur goût! dit Jade, en balayant ses longs cheveux noirs vers l'arrière, d'un geste de la main qui fit tintinnabuler ses bracelets métalliques.

À ce moment, une employée à l'air maussade nous tendit nos deux breuvages et un grand bol de salade de fruits. La serveuse semblait mal à l'aise et pour cause. Chaque semaine, les employés du restaurant étaient forcés de porter un accoutrement évoquant le menu spécial de la semaine. Cette pauvre serveuse, avec ses deux colliers de fleurs, avait l'air d'un clown à la triste figure surpris à un pique-nique hawaïen.

— Qui nous a envoyé ça ? demandai-je en pointant du doigt le bol de salade de fruits que le menu décrivait comme un « volcan tropical avec éruption fruitée pour deux ».

— C'est moi qui l'ai commandé, répondit Jade. Elle plaça sur le siège, entre nous deux, le grand bol dans lequel reposait un demi-melon d'eau vidé de sa pulpe et rempli de fruits tranchés.

— C'est moi qui paie ! ajouta Jade. Sers-toi. Il nous reste vingt minutes avant le début des cours.

Plaçant la paille jaune orange dans son verre, Jade prit une longue gorgée.

— Un vrai goût des Tropiques ! s'exclama-t-elle d'un air joyeux.

— Tu me rappelles une pub à la télé ! lui répondis-je en riant.

Pendant un instant, la gaieté avait chassé les sombres pensées qui ne cessaient d'assaillir et de tourmenter mon esprit.

Jade me jeta un coup d'œil oblique.

— Hé, Diane, qu'est-ce qui ne va pas ? Tu as une vraie tête d'enterrement.

« *Oui*, soupirai-je en moi-même. *En effet, quelqu'un est mort. Moi !* »

Je fronçai les sourcils en songeant au scénario lugubre que venait d'improviser mon imagination, surexcitée par le manque de sommeil des trois dernières nuits. J'observais Jade à la dérobade : elle retirait les morceaux de citron vert de la salade de fruits, car elle détestait le goût amer de ces agrumes.

— Jade, lui dis-je à brûle-pourpoint, tu te souviens de mon party d'anniversaire, lorsque je me suis endormie et que vous m'avez réveillée ?

— Oui, durant ton sommeil, tu parlais avec une voix de fantôme. C'était si mystérieux, si surnaturel. Puis tu nous as raconté ton rêve. Tu baragouinais d'un ton bizarre, justement à cause de ce rêve.

Jade se mit à rire, mais son rire n'était pas plus convaincant que la première fois.

— Ce n'était pas un rêve mais un *cauchemar*. Et hier soir, comme la veille, j'ai fait le même cauchemar, *exactement le même*.

— Oui, je sais. Tu es en train de lire le journal d'une personne décédée. Tu prétends que l'écriture est de ta propre main, et que la page couverture est rouge. C'est ça ?

— Oui, en effet.

Nos regards se croisèrent. L'image de mon visage se reflétait dans chacun de ses yeux, comme si deux photos lustrées de moi-même y avaient été imprimées. Mon amie garda le silence. Je pris une longue inspiration.

— Sais-tu pourquoi ce cauchemar m'effraie tant ? Parce qu'il est différent de tous les autres que j'ai faits auparavant. Tout semblait si réel. De plus, depuis la première fois que j'ai fait ce mauvais rêve, les choses les plus étranges se produisent. Comment expliquer, par exemple, qu'un événement, qui arrive aujourd'hui, nous semble s'être déjà produit dans le passé et ce, exactement de la même façon ?

Pendant quelques instants, Jade eut l'air perplexe.

— Attends une minute que je réfléchisse. Ah ! oui ! Tu veux dire du « déjà vu », hein ? fit-elle en haussant les épaules.

— Oui ! C'est en plein ça que je ressens. J'ai l'impression de me souvenir de choses qui, je le sais, ne me sont jamais arrivées.

Jade plongea sa cuiller dans le melon.

— Hum ! Quoi, au juste ?

— Bien, j'étais arrêtée, l'autre jour, devant le magasin de chaussures *Martin*, et je me suis rappelé avoir acheté une paire de souliers rouges pour aller au bal de cinquième secondaire en compagnie de Roch. C'était très clair dans mon esprit. Pourtant, je sais très bien que je portais des souliers de couleur crème pour aller avec ma robe, le soir de la danse.

Avant que Jade n'ait ouvert la bouche, je compris à l'expression de son visage qu'elle ne trouvait rien de terrifiant dans tout cela.

— Il n'y a rien d'effrayant, là, commenta-t-elle. Il y a de nombreuses explications à cette histoire. Peut-être désirais-tu t'acheter des souliers rouges ? Ou peut-être t'était-il venu à l'idée de t'habiller en *rouge* pour la danse ? J'ai l'impression que tu prêtes une signification cachée à ces petites choses-là, mais laquelle, au juste ? Je l'ignore.

Je sentis la frustration monter en moi. Mais, comment pouvais-je espérer que Jade me comprenne ? Je ne me comprenais pas moi-même !

— Que penser de tout ça ? Je suis indécise. Après tout, qu'y a-t-il d'inquiétant dans le fait de penser à acheter une paire de souliers ? Pourtant, ces souvenirs qui assaillent ma mémoire et qui ne sont que les miens me font peur. Et que dire de ce rêve affolant au cours duquel j'écrivais, dans mon journal intime, les détails de ma mort… après ma mort…

Je me tus et posai mes coudes sur le tableau de bord. Jade, le regard perdu au loin, semblait analyser mes paroles.

— Tout ce que tu racontes semble sortir tout droit d'un film d'horreur, finit-elle par déclarer. Le fait que, dans ton rêve, tu lises un journal intime n'a rien d'insensé, puisque tu écris ton propre journal depuis des années. Ne crois-tu pas que c'est plutôt le cégep qui te cause des soucis ? Tu achèves ton secondaire et tu n'as pas encore décidé où aller.

— Le cégep ne m'effraie pas du tout, rétorquai-je vivement.

— Bon, bon, fit Jade d'un ton conciliant en mettant en marche le moteur de sa Jeep.

Nous longeâmes la rue Principale, passant devant le centre médical, le restaurant *Au p'tit cochon rose*, la boutique *Mamzelle*, la pâtisserie *Au bon beigne*, le magasin de chaussures *Martin* et quelques autres petits édifices à bureaux, dont le bureau de poste. Tous ces commerces s'étaient implantés depuis cinq ou six ans pour former la principale artère commerciale de notre petite ville.

Sans vouloir l'admettre, je savais que l'hypothèse de Jade avait du bon sens. Plus, en tout cas, que ma vague impression de recevoir une sorte de message dans un rêve soi-disant prémonitoire. En outre, il était vrai que je n'avais encore rien décidé au sujet de mon avenir. Mais, dernièrement, quelque chose avait changé.

J'étais incapable de planifier mon avenir au cégep. Pire encore, je ne pouvais imaginer aucun scénario de ce qui se passerait au-delà de l'été. Chaque fois que j'essayais de voir plus loin, la peur s'emparait de moi. Une peur folle, irraisonnée. Comme si mon esprit heurtait un mur de brique infranchissable.

Inutile d'essayer d'expliquer cela à Jade. Je n'y comprenais rien moi-même. J'en étais réduite à croire qu'il m'était impossible de planifier la moindre chose concernant mon avenir. Aucun code ne pouvait me permettre d'y accéder, pour la simple raison qu'il n'existait pas. Dans le logiciel de mon plan de vie, aucun avenir n'avait été programmé pour moi, passé le solstice d'été. C'était inévitable, j'en étais convaincue.

Chapitre 3

— Je suis très contente d'aller au cégep l'an prochain, fit Jade en brisant le silence sur le chemin de l'école. Tu sais ce que je veux dire, Diane. J'ai éprouvé beaucoup de bonheur à grandir dans notre belle petite ville, mais aujourd'hui, je m'y sens comme dans une sorte de camisole de force.

— Belle petite ville devenue camisole de force, répétai-je. C'est une comparaison intéressante qui décrit bien Val Plaisant.

Je comprenais ce que Jade voulait dire. J'y avais moi aussi grandi, ou presque. Mes parents étaient morts dans un accident d'auto lorsque j'étais très jeune, et c'est tante Gertrude, la sœur de ma mère, qui m'avait accueillie chez elle. J'ai fait de gros efforts pour m'adapter à son caractère rigide et empesé, mais ce n'était pas facile. Pour elle, les bonnes manières, la discipline, le sérieux comptaient avant tout. Elle ne sortait jamais sans porter des gants. Pas question de pantalons, de jeans ou de shorts, seulement des robes... et même durant les jours les plus chauds de l'été, elle portait des bas. Le seul petit caprice qu'elle se permettait, c'était de se faire teindre les cheveux d'une couleur bleuâtre si démodée que même les dames âgées ne l'utilisaient plus.

Tante Gertrude ne m'importunait pas au sujet du cégep. Bien au contraire. Pour elle, mon avenir consistait à me trouver un emploi à Val Plaisant de sorte que, durant mes moments de loisirs, je prendrais soin d'elle. Elle considérait le cégep comme un luxe.

Moi, je me sentais bien à Val Plaisant. J'appréciais la tranquillité et la sécurité dont nous y jouissions, contrairement à l'environnement des grandes villes qui, pour moi, représentaient l'inconnu. Mais vivre à Val Plaisant voulait dire vivre avec ma tante Gertrude. En fin de compte, j'avais peur de quitter ma petite ville, mais je craignais aussi d'y demeurer.

— Tu sais, Jade, Val Plaisant est tellement une petite ville parfaite qu'elle en devient irréelle. Elle ne fait jamais la manchette des journaux. Toutes ces activités sociales que l'on trouve ailleurs sont absentes ici.

Jade hocha la tête.

— Ça me rappelle une histoire à la télévision. Un homme est sur le point de faire une dépression nerveuse à cause de son travail. Un soir, retournant à la maison par le train, il traverse une petite ville paisible comme Val Plaisant. Il décide de descendre du train et se voit déjà installé dans le patelin.

Malheureusement, ce n'était que dans son esprit que le train passait dans une telle petite ville.

Jade me regarda du coin de l'œil.

— Diane, m'écoutes-tu?

— Oui, oui, je t'écoute, répondis-je machinalement.

Malgré le soleil qui m'aveuglait, je vis que nous empruntions le bout de chemin de gravier qui conduisait à l'école.

Bâtie peu de temps après la Seconde Guerre mondiale, l'école Saint-Michel montrait déjà des signes de vieillissement. Je serais bien embêtée d'en décrire le style architectural, sauf que l'extérieur est fait de briques brun foncé. Quant à l'intérieur, je le qualifierais de «donjon».

Jade immobilisa sa Jeep dans le stationnement. Un annonceur s'évertuait à livrer son message à la radio: «Changez votre vie en saisissant les occasions que vous offre le domaine des voyages. Étudiez à la maison! Téléphonez-nous sans tarder, car nous ne pouvons le faire pour vous!»

— Tiens, voici une option qui se présente, me dis-je en sortant du véhicule.

Jade et moi, d'un pas rapide, nous dirigeâmes vers la porte d'entrée en même temps que la horde d'étudiants.

«Nous sommes tous dans le même bateau», pensai-je.

Cette période de l'année scolaire, entre les révisions et l'obtention du diplôme était plutôt particulière. Une certaine impatience se manifestait au sein des divers groupes qui se formaient à gauche et à droite. Répercutés par les échos, les rires et les cris résonnaient dans le long corridor conduisant aux salles de cours. On discutait de l'année qui allait suivre, avec tous les changements que la vie de cégépien apporte. Dans toute cette cacophonie, je m'efforçai de demeurer calme, de chasser mes craintes.

La journée se passa rapidement. Avant mon dernier cours, je me rendis à mon casier pour y prendre un livre de classe. En ouvrant la porte, quelque chose sur la tablette du haut attira mon attention: une carte... Je l'ouvris. D'une écriture soignée, on y avait inscrit: POUR T'AIDER À TE SOUVENIR.

Je regardai à l'endos de la carte mais il n'y avait pas de signature. Que signifiaient ces mots?

Puis j'aperçus sur la tablette du haut du casier un objet orné d'un ruban rouge. C'était un livre. Je le pris dans mes mains et soudain, tout devint silencieux. Mes oreilles ne captaient plus les bruits autour de moi. L'irréel devenait réel. Ce n'était pas un livre ordinaire mais un journal intime.

J'avais vu ce journal auparavant.

Oui, dans mon cauchemar!

Chapitre 4

Cela n'avait pas de sens, me dis-je en écarquillant les yeux. Il était impossible que ce journal intime soit le même que celui que j'avais vu dans mon cauchemar. Et pourtant, je le tenais bien dans mes mains.

Je me sentis comme hypnotisée.

J'avais l'impression que quelque chose était à mes côtés.

Ou quelqu'un?

Vivant?

Ou mort?

J'éprouvais la sensation que ce quelque chose émettait des ondes que je captais à travers le journal, que ce quelque chose me touchait. Ce toucher s'infiltrait dans mon corps, dans mon esprit et jusque dans mon âme.

« Voici donc à quoi ressemble le baiser de la mort », me répétai-je.

Je laissai tomber le journal comme s'il m'avait brûlé les doigts.

Les copains et les autres allaient et venaient dans la salle, ignorant qu'un des leurs était pétrifié par la peur.

Incapable de faire un mouvement, je demeurais là, debout, tentant de reprendre mes esprits. Une force intérieure me poussait à hurler mais pas un son ne sortait de ma gorge.

Et tout à coup, la lumière se fit. « Quelle cruche je fais ! » me dis-je. Ce doit être un cadeau de Roch. Ça fait six mois que nous sortons ensemble. Il a voulu souligner cet anniversaire, et je l'avais complètement oublié.

Je me penchai et ramassai le journal. *Le baiser de la mort* ? Avais-je perdu la raison ?

Pauvre Roch ! Pas surprenant que, devant mon comportement, il se soit amusé récemment à faire toutes sortes de pitreries.

— Hé, Diane, je te verrai en classe !

Je me retournai. C'était Annie Bélanger, une jolie petite blonde pour qui le mot souci n'existait pas.

— D'accord, Annie.

Toutes deux jolies et populaires, Annie et Jade se disputaient amicalement le titre de Miss Val Plaisant. Sans apparente méchanceté, elles se moquaient continuellement l'une de l'autre. À la blague, chacune à son tour prenait plaisir à souligner les petits travers de l'autre.

Je n'appréciais pas beaucoup ce genre d'humour.

Comme j'allais replacer le journal sur la tablette de mon casier, je remarquai que la couverture de couleur marron semblait avoir été gravée manuellement. De plus, le journal n'était pas neuf, mais très original, comme ces objets que l'on trouve dans les boutiques d'antiquaires que j'adore explorer.

« Je suis une fille très chanceuse », me dis-je en pensant à la peine qu'avait dû se donner Roch pour me dénicher ce cadeau si particulier.

En examinant de plus près le journal, je découvris qu'on y avait façonné un monogramme à peine perceptible. Les lettres s'entrelaçaient, tel un dessin.

Était-ce SL ou SR ? Non, ce n'était pas SR. Pour moi, les lettres étaient bien SL.

J'essayais d'imaginer quelle sorte de personne était SL. C'était sûrement quelqu'un qui prenait son journal personnel de façon très sérieuse, étant donné la beauté du journal. Je n'en avais jamais vu de pareil. Elle devait être aussi passionnée de son journal que je l'étais du mien.

Comme il est étrange de constater que l'on partage la même marotte avec une personne qui nous est inconnue. Qu'avions-nous en commun, SL et moi ?

Je scrutai de nouveau le journal. Une angoisse étrange m'envahit.

Chapitre 5

Je levai la tête et aperçus Roch et son ami Tintin Senay qui venaient à ma rencontre. Tintin se marrait, gesticulait, évitant de justesse, comme il le réussissait toujours, les obstacles qui se présentaient devant lui, contrairement à ce qu'il faisait sur le terrain de football.

Roch marchait à ses côtés, affichant ce petit air arrogant qui séduisait les autres filles. Ses grands yeux noirs et son petit sourire narquois lui donnaient un air romantique.

À les voir ainsi déambuler, on n'aurait jamais deviné que le farceur numéro Un de l'école, ce n'était pas Tintin mais bien Roch.

Ce dernier était la contradiction même, ce qui semblait faire son charme auprès des filles. Arrivé près de moi, il s'appuya sur le casier en me regardant droit dans les yeux. Tintin comprit que Roch et moi voulions goûter quelques moments d'intimité et il s'éloigna.

Durant quelques instants, Roch et moi demeurâmes immobiles. Puis il se pencha vers moi et mit ses deux bras autour de ma taille en m'attirant vers lui. Je pouvais sentir les battements de son cœur contre ma poitrine. J'effleurai doucement des doigts sa belle chevelure. J'avais la certitude qu'il allait m'embrasser.

— Hum... hum... bon après-midi, Diane, Roch, c'est l'heure d'entrer en classe.

— Oh ! merci, monsieur le directeur, balbutiai-je en faisant un pas en arrière.

— Merci, monsieur le directeur, répéta Roch d'une voix qui ne cachait pas son insolence.

Dès que le directeur se fut éloigné, Roch m'attira de nouveau vers lui. J'approchai ma bouche de son oreille pour lui murmurer :

— Merci, Roch, pour ton cadeau. La journée est magnifique, n'est-ce pas ? Parfaite !

Roch recula de quelques pas en me regardant d'un air ahuri.

— Mais de quoi, diable, parles-tu, Diane ?

Chapitre 6

Au son de la cloche, je me faufilai jusqu'à mon bureau, voisin de celui de Julie, pendant que Roch allait s'écraser sur une chaise à l'arrière de la classe. Camouflé à cet endroit, il risquait moins de se faire poser des questions par le prof.

— Hé, Diane, il me semble que tu as pris beaucoup de temps avant d'entrer en classe ?

— Je te raconterai tout ça plus tard, lui soufflai-je à l'oreille.

— Mais pourquoi plus tard ? demanda vivement Julie, les sourcils transformés en points d'interrogation. Le professeur n'est pas encore arrivé !

— Bon, répliquai-je, surprise de la soudaine curiosité de Julie. Tu te souviens du rêve que je t'ai raconté, de ce journal personnel que je lisais ?

— Oui, oui ! fit Julie d'un ton enthousiaste.

Je sortis le journal intime de mon sac.

— Regarde ce que j'ai trouvé dans mon casier !

Julie demeura figée, la bouche ouverte. Elle rompit le silence.

— Quelle étrange coïncidence ! D'où peut-il bien provenir ?

— Au début, je croyais que c'était un cadeau de Roch. Le premier moment de surprise passé, je me suis souvenue que ça faisait six mois que nous sortions ensemble. Mais Roch m'a certifié qu'il n'avait rien à voir avec ce journal.

Julie tapotait sur son bureau avec son crayon en me toisant du coin de l'œil.

— Ah ! Roch s'en est lavé les mains, hein ? Bien, moi, je crois que ton Roch a voulu te jouer un petit tour, justement parce que tu avais oublié cet anniversaire. Il a décidé de feindre l'ignorance au sujet de son cadeau.

— J'y ai songé, Julie. Je n'ai pas d'objection à ce que Roch et ses amis se jouent des tours pendables, mais j'apprécierais beaucoup moins de devenir une de leurs victimes.

— Allons, Julie, ce n'est pas que Roch ait décidé de te compter parmi ses victimes, comme tu le dis, mais non. Il a voulu faire une simple plaisanterie. Tu ne devrais pas le juger si sévèrement.

« Tu n'as pas à prendre sa défense » , me dis-je intérieurement. Une irritation sourde couvait dans ma tête.

Annie Bélanger était assise en avant de Julie et semblait prêter une oreille attentive à notre conversation. Elle intervint :

— Diane, tu ne t'en rends peut-être pas compte, mais je connais un tas de filles qui aimeraient bien mettre la patte sur Roch. D'ailleurs, plusieurs ont tenté leur chance mais c'est la tranquille petite Diane qui a enlevé le morceau, sans même lever le petit doigt. (Annie me dévisageait.) Vois-tu, continua-t-elle, le fait que tu puisses croire que Roch t'a joué un tour pourrait t'amener à te disputer avec lui. Roch et toi excitez peut-être la jalousie de quelqu'un qui a imaginé ce truc pour provoquer une querelle entre vous deux.

Annie fit un clin d'œil à Julie pour obtenir son approbation.

— Foutaise ! lança cette dernière. Es-tu sérieuse, Annie ?

— Bien, *quelqu'un* a pu le faire, non ? rétorqua Annie.

— Ton histoire est tirée par les cheveux, à moins que ce soit *toi* la coupable, Annie Bélanger.

— Allez-vous arrêter vos conneries ? leur lançai-je, mal à l'aise.

— D'accord, Diane, dit Julie d'un ton calme. Si tu veux plonger Roch ou le coupable dans l'inquiétude, je connais un jeu pour toi.

Je n'étais pas d'humeur à me prêter à de petits jeux, mais pourquoi pas, d'un autre côté ?

— C'est quoi, ton jeu ?

— Diane, le responsable espère que tu vas te creuser les méninges pour trouver la réponse à tes questions : « Est-ce Roch, le responsable ? Sinon, qui est-ce ? »

— Oui, Julie, je m'interroge.

— Bon. Ne parle ni à Roch ni à qui que ce soit du journal, pour faire croire que tu as tout oublié de l'incident. Quelqu'un va se poser des questions.

À ce moment, monsieur Paris fit son entrée. Il m'arrive parfois d'avoir un béguin pour mon prof de français, mais ce n'est pas sérieux. D'ailleurs, il est trop âgé pour moi. Sa longue chevelure couleur de sable ne cache pas ses tempes grises, ce qui ne m'empêche pas d'admirer ses grands yeux bleu acier.

— Tout le monde au travail ! ordonna-t-il en souriant.

Notre conversation prit fin.

Même si je me rendais compte que je faisais le jeu de *quelqu'un*, je ne pouvais m'empêcher de me questionner : « Est-ce Roch ? Sinon, qui est-ce ? »

La plupart des camarades connaissaient la combinaison de chiffres du cadenas du voisin. Julie, Annie et moi-même ne faisions pas exception. Le fait est que n'importe qui avait pu ouvrir mon casier. Il était même facile de forcer la porte de ces casiers fabriqués de tôle mince.

Fatiguée, je mis fin à mon analyse de la situation et sortis le journal de mon sac.

Soudainement, une idée me traversa l'esprit. C'était vraiment bête de ne pas y avoir songé plus tôt. « *Il pourrait bien y avoir des écrits dans le journal. Après tout, il n'est pas neuf.* »

Je plaçai mon cahier devant moi, le crayon à la main, pour faire croire au prof que j'étais prête à prendre des notes. Puis je mis le journal sur mes genoux. Je m'aperçus que je ne possédais pas la clé de la petite serrure. Mais le fermoir n'offrit aucune résistance à mes doigts tremblants. Je fermai les yeux en faisant une petite prière, puis je scrutai les premières pages…

Je le savais.

Je voyais des écritures.

J'allais pouvoir lire le journal personnel d'une autre personne.

Chapitre 7

Je chemine mentalement sur un pont, étroit comme une lame de rasoir, qui passe entre les rives de la discrétion et celles de l'indiscrétion. Je vais pouvoir lire le journal intime de quelqu'un d'autre.

À cette seule idée, je ressentis un frisson mi-coupable, mi-inquiet. J'avais l'impression que toute la classe pouvait deviner mes pensées. Mais il n'en était rien. Tous les étudiants étaient attentifs aux propos de monsieur Paris.

D'habitude, j'étais ce qu'il est convenu d'appeler « une bonne élève », et j'écoutais toujours attentivement le prof.

Mais pas aujourd'hui.

Car aujourd'hui, je voulais consacrer toute mon attention à quelque chose de *beaucoup plus* intéressant.

Pendant une fraction de seconde, le remords de ce que je m'apprêtais à faire me pinça le coin du cœur. Mais cela ne dura pas. Après tout, cette fille-là, je ne la *connaissais* même pas.

Je présumais que l'auteure de ce journal surgi mystérieusement d'un passé obscur était une fille, étant donné que les garçons, d'ordinaire, ne tiennent pas leur journal. Là, celui que je tenais en main semblait avoir plusieurs années d'existence.

Probablement autant que moi.

Son auteure devait être adulte, maintenant, et devait même, selon toute probabilité, avoir des enfants. Elle avait sans doute oublié l'existence de ce petit livre marron, aux initiales camouflées dans les spirales d'un dessin gravé. Et puis elle ne saurait jamais que je l'aurais lu...

J'en commençai donc la lecture et me laissai glisser dans le monde inconnu de cette jeune fille qui, d'après ses écrits, se préoccupait beaucoup d'elle-même, des garçons qu'elle fréquentait, des vêtements qu'elle portait ou de l'image qu'elle entretenait de sa propre personne.

Contrairement à moi, elle n'éprouvait nul besoin de se plier aux exigences de la diplomatie, de la charité et de la politesse.

Elle était, comme on dit, un peu fofolle. *Elle*, au moins, savait s'amuser, cela ne la dérangeait guère d'enfreindre quelques règlements pour y arriver. Elle aimait aussi jouer des tours, même à ses amis, dans le genre des farces et des espiègleries auxquelles Roch s'adonnait. Une seule chose semblait lui tenir sérieusement à cœur: l'art... la peinture, surtout.

Plus je lisais, plus l'impression de connaître

cette fille un peu « sautée » s'accentuait en moi. J'aurais presque juré qu'elle me dictait son journal et communiquait avec moi par télépathie.

Et je la comprenais, même si la différence entre elle et moi était des plus frappantes.

Mais j'aurais bien voulu connaître la signification des initiales S.L., bien qu'en y songeant tout prénom débutant par S faisait l'affaire. Justement, mon prénom préféré était Sophie. Ça tombait bien. Même que, dans mes jeux d'enfant, je prétendais souvent m'appeler ainsi. Je décidai donc sur-le-champ que, dorénavant, l'auteure du journal se prénommerait Sophie.

D'ordinaire, je n'aurais guère apprécié les farces et attrapes qui faisaient ses délices. Son sens de l'humour me serait apparu plutôt douteux. Mais maintenant, je voyais les choses sous un autre angle. Peut-être avais-je pris la vie trop au sérieux ? Bien sûr, je ne m'amusais pas comme Sophie et je ne jouissais pas autant qu'elle des plaisirs de la vie !...

En fait, avec tous les ennuis que je vivais ces temps-ci, je l'enviais. Des banalités telles que le choix d'un cégep ou le départ de son village natal auraient sûrement été les derniers de ses soucis. « Ah ! pourquoi ne suis-je pas comme elle ? » me dis-je intérieurement.

Lorsque finalement je levai les yeux vers l'horloge, je m'aperçus que le cours achevait, et ne pus m'empêcher de sourire en pensant aux derniers mots de ma lecture. L'auteure était tout excitée à l'idée de sa nouvelle coupe de cheveux et des souliers rouges qu'elle avait achetés pour danser au bal de fin d'année.

Après le cours, je voulus partager avec Jade les secrets que j'avais découverts en lisant le journal de S.L. Mais une force invisible m'en empêcha.

Ces écrits ne devaient pas être révélés. C'était clair comme de l'eau de roche, tout à coup. Ils ne s'adressaient qu'à moi seule. C'était à la fois inquiétant et quelque peu malicieux.

Après tout, jamais au grand jamais ne doit-on lire le journal intime d'une autre personne, puisque, selon la tradition, ce serait comme profaner un territoire sacré !

Chapitre 8

Les jours suivants, tous mes moments de loisir furent consacrés à la lecture du journal qui ne me quittait pas un instant. Au lever comme au coucher, je lisais quelques pages, sans mentionner certaines périodes calmes en classe et même parfois à l'extérieur.

Au début, grande fut la tentation de le lire d'une seule traite, car je lis vite. Mais, je me surpris à analyser pratiquement chaque ligne. Quand je mettais fin à une période de lecture, je me rendais compte que j'avais perdu la notion du temps même si je n'avais parcouru que quelques pages. Je savourais chaque ligne, chaque mot, comme autant de bons petits plats. Comme je ne l'avais jamais réussi avec personne d'autre auparavant, je faisais la connaissance intime d'une fille que j'avais baptisée Sophie.

Sa dévotion à écrire son journal n'avait d'égale que la mienne. Sophie y décrivait ses sentiments, ses émotions et ses expériences avec beaucoup de couleur.

Bien entendu, je n'avais jamais lu le journal personnel d'une autre personne, mais celui-ci m'avait littéralement liée à Sophie. Un intérêt mutuel nous unissait.

Tante Gertrude ne pouvait s'empêcher de me jeter un regard désapprobateur chaque fois que je me réfugiais dans ma chambre après le repas. Mais maintenant, grâce à la lecture du journal, elle ne m'effrayait plus. Je savais qu'elle n'aurait pas fait peur à Sophie.

Je le savais parce que Sophie et moi avions un problème similaire. Je demeurais avec une tante mesquine et Sophie vivait avec une grand-mère au même sale caractère. Elle en parlait souvent dans son journal, comme elle le faisait pour ses petits amis, surtout celui nommé Charles, sans oublier une cousine qui parfois rendait visite à sa grand-mère et qu'elle avait surnommée cousine Bécassine.

Sophie avait l'impression que sa grand-mère la traitait de façon injuste. Elle avait sa façon personnelle de se venger : lorsqu'elle était furieuse, elle imaginait une mésaventure ou un accident dont était victime sa grand-mère et elle écrivait le tout dans son journal. C'est ainsi qu'elle avait écrit ce qui était arrivé lorsque sa grand-mère l'avait forcée à râteler les feuilles.

J'étais là, au bord des larmes, écœurée de râteler les feuilles pendant que grand-maman et cousine Bécassine bavardaient en regardant la télévision. N'avait-elle pas autre chose à faire, cette cousine Bécassine ?

De plus, les feuilles ne faisaient que commencer

à tomber. Du travail inutile ! Et le terrain était parsemé de trous.

Quelque chose me disait que ces trous allaient s'agrandir et que, après la chute des dernières feuilles, grand-maman ne les verrait pas. Elle pourrait bien avoir un accident en y enfonçant un pied.

Ces récits me mettaient mal à l'aise mais j'étais convaincue que Sophie n'avait écrit ces phrases que pour se libérer d'une certaine tyrannie.

Plus j'avançais dans ma lecture, plus je sentais que je devrais découvrir quelque chose dans ce journal, comme une sorte de message. L'attitude rebelle de Sophie commençait à m'influencer.

« Pourquoi ne pourrais-je pas imiter certains de ses faits et gestes ? »

Je décidai de le faire.

Un jour, chose que je n'avais jamais osé faire, je m'absentai de l'école.

Sophie le faisait souvent.

Ce geste se révéla plus facile que je ne l'avais cru.

Je sortis de l'école par la porte d'en arrière et me dirigeai vers le centre-ville. J'éprouvai une sensation de liberté telle que j'en eus le vertige. Comment avais-je pu demeurer enfermée dans une salle de cours surchauffée si longtemps lors de si belles journées ensoleillées ?

Le soleil réchauffait le sang dans mes veines. Je me sentais *vivre*. C'était merveilleux, oui merveilleux parce que *j'enfreignais le règlement. Tout comme Sophie.*

Chapitre 9

Je continuai à déambuler, sans but précis, la tête dans les nuages, grisée par cette liberté nouvelle. Peu à peu, sans m'en rendre compte, j'accélérai la cadence... jusqu'au pas de course. Je courais à en perdre haleine. À bout de souffle, je m'arrêtai et constatai que j'étais perdue.

Je n'avais jamais cru possible de se perdre dans Val Plaisant et pourtant, je demeurais là, immobile, désorientée. J'avais atteint le vieux quartier de la ville que j'avais rarement visité. De pittoresques maisons de style victorien étaient assises au milieu de vastes terrains embellis de grands arbres et de jardins fleuris. La tranquillité y était absolue : pas de bruits de radios, de téléviseurs, d'enfants tapageurs, pas de véhicules dans la rue. Seul le bruissement régulier des feuilles rompait le silence.

J'avais l'impression d'être un personnage de film isolé sur une autre planète. Quelques centaines de mètres plus loin, je me retrouvai devant une maison de bois verte. J'aperçus une affiche défraîchie clouée à la clôture : VENTE DE GARAGE.

Un immense saule pleureur ombrageait le devant de la maison. Le propriétaire ne devait pas être un maniaque de la tondeuse : les mauvaises herbes avaient envahi le terrain.

J'aime bien fouiner dans ces ventes de garage, mais, selon toute apparence, j'avais manqué celle-ci. Je vis un autre écriteau collé à la porte d'entrée. Peut-être le proprio avait-il d'autres objets à vendre à l'intérieur de la maison ? En montant l'escalier, les mots de Julie me revinrent en mémoire : « Du déjà vu ! » avait-elle dit. « *Oui, je me suis déjà retrouvée ici.* »

Dans mon esprit, je revoyais cette maison comme elle avait dû paraître auparavant : fraîchement peinte, le gazon frais coupé. Je me voyais en train de courir dans la maison, de gravir l'escalier intérieur pour me rendre à une chambre située dans un coin de l'étage. Assise à un bureau, j'y écrivais mon journal.

Je tentai de voir à l'intérieur par la fenêtre mais les fils d'araignée et la poussière faisaient obstacle.

— Vous perdez votre temps, fit une voix derrière moi. Cette maison est inhabitée. Il n'y a plus personne qui habite ici. Je demeure dans la maison voisine.

C'était un vieil homme portant une salopette de jardinier.

L'homme me souriait en me dévisageant de ses yeux bleus voilés. Un vieil homme inoffensif sans doute, mais il me faisait peur. Il me rappelait quelqu'un.

Qui ? Qui ?

Ah ! oui, c'est ça ! Le Bonhomme Sept Heures, ce personnage imaginaire qui, dans notre tendre enfance, nous terrifiait et se cachait partout pour nous surprendre et nous tuer.

Ce vieil homme me rappelait ces peurs enfantines qui vous prennent jusqu'au plus profond de vous-même. Son large sourire dévoilait une rangée de dents qui m'apparaissaient comme des crocs menaçants.

— La vieille dame a fait cette vente après la mort de sa petite-fille, d'expliquer le vieil homme. Puis elle est allée vivre dans un centre d'accueil. Faut dire que ce ne fut pas une vente à tout casser. Un seul client s'cst présenté, ajouta-t-il d'une voix grinçante comme le bruit d'une craie qu'on fait crisser sur un tableau noir.

Je descendis les marches de l'escalier et me dirigeai vers la rue.

— Hé, ne partez pas tout de suite, lança le vieil homme en me suivant.

— Je regrette mais je dois partir. On m'attend en ville.

Je pressai le pas.

— Attendez une minute, j'ai quelque chose à vous raconter.

Ses pas se rapprochaient de moi. Il me suivait. Je sentis sa main sur mon bras, *froide comme la peau d'un serpent*. Ses yeux voilés me fixaient.

— Je vous ai dit que la vente n'avait attiré qu'un

client, siffla-t-il. C'était une jeune fille qui vous ressemblait. Mais… en vous voyant de plus près, vous êtes l'image de celle qui demeurait dans cette maison, celle qui est morte.

Le mot *morte* résonna dans ma tête comme la penture rouillée d'une porte infernale.

— Je ne suis jamais venue ici, ripostai-je d'un ton qui voulait masquer ma peur.

Je me dégageai de l'étreinte de sa main.

— Moi, je crois que oui, reprit-il. Je crois que vous êtes celle qui a acheté le livre lors de la vente.

Il continua à me suivre, pas à pas.

— Voulez-vous savoir comment la petite-fille de la dame est morte ? ajouta-t-il, la bouche fendue d'un sourire malicieux.

Sans attendre ma réponse, il me dit en séparant bien ses phrases :

— Elle a été assassinée… par une personne de son entourage.

Chapitre 10

J'ignore comment j'ai réussi à semer le vieil homme pour me retrouver en plein centre-ville. Toujours est-il que j'étais là, à la porte du salon de coiffure *Le Portail de la beauté*, dans la rue Principale.

Je n'avais jamais mis les pieds dans un salon de coiffure. Il m'était facile de couper ma longue chevelure qui me descendait à mi-dos.

J'aurais bien pu me retrouver à des dizaines d'autres endroits, ou me consacrer à d'autres occupations et pourtant, je me tenais devant le *Portail de la beauté*.

En ouvrant la porte, des clochettes se mirent à chanter.

— Bonjour, bienvenue dans notre salon de beauté ! Je m'appelle Rose.

Je l'avais déjà rencontrée auparavant mais elle ne semblait pas se souvenir de moi. Elle portait une blouse noire et une jupe de coton rouge. De longues boucles d'oreilles scintillantes lui descendaient jusque sur les épaules. Elle ne faisait pas… Val Plaisant, ni son salon d'ailleurs. La décoration murale était d'un modernisme voyant; de grands miroirs donnaient une perspective de grandeur à la salle et réfléchissaient les photos de modèles arborant des styles de coiffure plus sophistiqués les uns que les autres.

— Que puis-je faire pour vous? questionna Rose d'un ton chantant malgré la douzaine d'épingles à cheveux qu'elle tenait dans la bouche.

— Une coupe de cheveux, s'il vous plaît.

Rose acquiesça d'un mouvement de la tête. Elle avait les yeux noircis d'une épaisse couche de mascara, ce qui me rappelait ceux d'un raton laveur.

— N'étais-tu pas une des élèves à qui j'ai donné un cours sur les soins de beauté au début de l'année?

— Heu... bien oui, répondis-je quelque peu gênée. Je suis surprise de voir que vous vous souvenez de moi. Je dois vous avouer que je n'ai pas toujours mis vos conseils en pratique. Ma petite amie a toujours su m'imposer ses vues à ce sujet.

— Il n'est jamais trop tard pour se faire une beauté, ma chérie, fit une voix derrière moi.

Je reconnus mademoiselle Ladouceur, propriétaire de la confiserie *La Friandise dorée*. La tête couverte de papillotes, elle ressemblait à un porc-épic couvert d'emballages de bonbons.

Rose souriait.

— Oui, il n'est jamais trop tard pour se faire une beauté, répéta-t-elle. Prends un siège pendant que je termine la permanente de mademoiselle Ladouceur.

Après avoir feuilleté quelques magazines de

mode, je sortis le journal de mon sac pour en continuer la lecture.

Sophie y écrivait qu'elle devait se faire vernir les ongles. Et moi qui n'avais même jamais poli mes ongles durs. *Peut-être devrais-je l'imiter.*

Le journal me révéla que Sophie était fâchée avec une autre fille de l'école, question de rivalité entre elles au sujet d'un garçon. Cela me paraissait ridicule, car Sophie ne comptait plus ses amis. Mais elle était furieuse et lorsqu'elle était dans cet état d'esprit, elle mettait au point une stratégie redoutable pour faire échec à son adversaire et la notait dans son journal.

Apparemment, l'ennemie de Sophie était une voisine propriétaire d'un rucher.

J'étais en furie de voir cette pie bavarde flirter en battant des paupières. Bla, bla, bla. Et si j'excitais ses abeilles, si une ruche lui tombait dessus... pour qu'elle se fasse piquer à mort... Aïe! Quelle mielleuse façon de passer de vie à trépas.

Je ne pus m'empêcher de sourire en lisant ces mots: *Quelle mielleuse façon de passer de vie à trépas.*

Même enragée, Sophie savait conserver son sens de l'humour.

Je vis que Rose mettait la touche finale à la coiffure de mademoiselle Ladouceur.

Lorsque Julie et moi étions enfants, cette dernière ne prisait guère nos visites à sa confiserie. Elle nous accusait toujours de vouloir lui voler des bonbons. Que voulez-vous ? Chaque petite ville compte toujours quelques excentriques et à Val Plaisant, mademoiselle Ladouceur faisait partie de la confrérie.

De toute façon, aujourd'hui devenue une femme d'un âge certain, elle me laissait indifférente. Je n'étais plus une petite fille. Et puis elle ne se souvenait probablement pas d'avoir été si chiche à cette époque.

Elle se leva du fauteuil, l'air radieux, et me dédia un large sourire. Les doigts agiles de Rose l'avait transformée en femme aimable.

Chapitre 11

— Diane, c'est à ton tour, chérie.

Le ton familier de la voix de Rose me laissait croire que ce n'était pas la première fois qu'elle m'appelait par mon nom.

Hésitante, je me levai, ne sachant pas si je devais changer d'idée et sortir du salon.

Pourtant, c'est ce que je voulais faire.

Toutefois, je décidai d'aller prendre place sur le fauteuil que Rose m'indiquait.

— Vous allez me faire les ongles d'abord, lui dis-je.

Je choisis un rouge écarlate. Je voyais déjà l'expression sur le visage de Julie. Elle allait sûrement capoter à la vue de mes ongles rouges.

— Diane, tu vas devoir nous visiter de temps à autre si tu veux conserver de jolis ongles, conseilla Rose. Ils étaient vraiment en très mauvaise condition.

Lorsque le moment de la coupe de cheveux arriva, je devins plus nerveuse, mais le calme et la dextérité de Rose, qui savait égayer la conversation de propos amusants, me rassurèrent.

— Ton visage reprend des couleurs, enchaîna-t-elle. Quand tu es entrée, tu ressemblais à un fantôme !

Je regardais mes cheveux coupés tomber sur le plancher.

— Je me suis perdue en venant ici, racontai-je à Rose. C'est incroyable, n'est-ce pas, de se perdre dans une petite ville comme Val Plaisant où l'on a demeuré toute sa vie !

Rose toussota.

— Je suis bien d'accord avec toi.

— C'est bizarre. Je me trouvais dans ce vieux quartier de la ville aux rues pratiquement désertes avec d'imposantes maisons victoriennes.

— De grosses maisons ? dis-tu. As-tu noté le nom de la rue ? demanda Rose en donnant un autre coup de ciseaux.

Je replaçai la cape de vinyle qui protégeait mes vêtements.

— J'ai vu le nom de la rue mais je ne m'en souviens pas. Il me semble avoir remarqué un château d'eau à l'arrière des maisons et... ah ! oui... un saule pleureur énorme se dressait devant l'une d'elles !

— C'est curieux, reprit Rose, je me souviens que l'on avait démoli plusieurs maisons dans ce secteur, il y a quelques années, pour faire place à un petit centre commercial d'où l'on peut très bien apercevoir le château d'eau qui alimente la ville en eau.

Rose avait raison. J'avais dû confondre cet endroit avec un autre.

— Terminé ! lança Rose en faisant tourner le fauteuil de façon à ce que je me voie dans le miroir.

C'est que je lui avais demandé de me placer le dos au miroir durant l'opération, ne me sentant pas le courage de me contempler durant une bonne heure. J'avais un peu peur de voir ma nouvelle tête. Aurait-elle l'air affreuse ?

Je restai estomaquée. C'était bien mon image que me renvoyait le miroir. Quel changement ! Au lieu de cette chevelure qui me tombait de chaque côté de la tête jusqu'à mi-dos, j'arborais maintenant une coupe courte bouclée au bas, juste au milieu du cou.

Rose s'éloigna de quelques pas pour analyser l'effet.

— Cela te va bien, ma chère Diane, même très bien. Es-tu satisfaite ?

— Je suis ravie, ajoutai-je en me retournant. C'est incroyable. Merci beaucoup.

— Je suis certaine que tes amis vont te trouver superbe.

Amis. Ce mot me rappela quelque chose.

— Vous savez, Rose, lorsque je me suis perdue, il s'est produit un incident.

— Et quoi donc ?

— Bien, j'ai rencontré un vieil homme qui m'a raconté qu'une fille qui demeurait dans une de ces maisons avait été assassinée par une personne de son entourage.

Rose pâlit.

— Quelle chose terrible à dire ! déclara-t-elle. N'y porte pas attention. Ce vieil homme devait avoir le cerveau détraqué.

— Il est vrai qu'il me paraissait étrange et qu'il me faisait peur, mais je ne dirais pas qu'il était détraqué, comme vous dites.

— Allons, Diane, s'il t'a dit qu'un de tes amis allait t'assassiner, c'est bien la preuve qu'il était fou.

— Ce n'est pas ce que j'ai dit. Je vais vous répéter les paroles du vieil homme : « La fille qui demeurait dans une de ces maisons a été assassinée par *une* de ses amies. »

— Ouf ! fit Rose, soulagée. Des frissons commençaient à m'envahir ! J'aurais juré que le vieil homme t'avait dit que *tu allais être assassinée par quelqu'un de ton entourage.*

Chapitre 12

Je quittai le salon comme transportée sur un coussin d'air. Je souriais devant chaque vitrine qui semblait prendre plaisir à réfléchir mon image. J'avais changé d'apparence.

J'avais l'impression d'être devenue une autre personne.

Peu à peu, cette euphorie fit place à une certaine angoisse.

« Ce style n'est pas le mien », me répétai-je intérieurement. Avec des ongles rouges, mes mains n'étaient plus les miennes.

Tante Gertrude allait sûrement tomber à la renverse. Qu'est-ce qui m'avait poussée à poser ce geste ?

Imperceptiblement, la panique me gagnait. Arrivée à la maison, j'étais en pleurs. En ouvrant la porte, j'entendis la sonnerie du téléphone. Contrairement à son habitude, tante Gertrude ne s'était pas précipitée pour prendre l'appel. Je décrochai le récepteur, mais trop tard, on avait raccroché.

Où était donc tante Gertrude ? Je me dirigeai

vers la cuisine... Onyx m'y accueillit avec un miaulement désespéré.

— Pauvre chaton affamé ! dis-je.

Onyx seul avait droit à l'affection de tante Gertrude. Il avala gloutonnement la boîte de nourriture que je lui servis. C'est alors que j'aperçus la note que tante Gertrude avait collée sur la porte du frigo à l'aide d'un ruban adhésif.

« Une de mes amies est partie en vacances. Je suis allée rester chez elle pour prendre soin de ses plantes et de son chat », disait le message.

Je demeurai quelque peu surprise : tante Gertrude n'avait jamais mentionné qu'elle avait une amie. D'un autre côté, je me réjouissais de son absence. Plus personne pour me dire quoi faire ou, surtout, quoi ne pas faire. Finies, pour quelque temps, les grogneries de tante Gertrude.

Enfin, j'allais pouvoir me préparer des repas à mon goût, à la condition que le garde-manger contienne les ingrédients nécessaires.

— Ah ! non ! fis-je en jetant un coup d'œil à l'intérieur du réfrigérateur. Une salade de thon ! Ouache ! Je me serais contentée d'un macaroni au fromage ou d'un pain de viande.

Une idée me traversa l'esprit. Celle qui avait écrit le journal aimait la salade de thon. Elle s'en était régalée lors d'un pique-nique. Je décidai donc d'en prendre une bouchée.

— Succulent, m'écriai-je en étendant la salade entre deux tranches de pain.

Je me servis un soda à l'orange (d'habitude, je bois un jus mais ce soir, j'optai pour un soda). *Sophie buvait du soda à l'orange.*

Quelque peu hésitante, je pris une bouchée du sandwich. C'était *délicieux*. Pourquoi, sans même y avoir goûté, avais-je levé le nez sur la salade de thon ?

Sandwich en main, je me rendis dans la salle à manger. Je repoussai quelques livres scolaires qui jonchaient la table avant de prendre une autre bouchée. Je remarquai alors un sac sur le plancher de la salle d'entrée. J'avais dû le laisser choir en me précipitant vers l'appareil téléphonique. En sortant du salon de beauté, j'avais fait quelques achats. Le sac contenait une toile vierge et des tubes de couleur à l'huile, sans oublier une paire de souliers rouges.

Je rangeai le sac dans un coin de ma chambre avant de m'asseoir sur le sofa pour y continuer la lecture du journal.

J'étais fort heureuse de lire que, comme moi, Sophie se faisait faire les ongles avant sa coupe de cheveux. Mais, à la page suivante, je ressentis un choc : ma coupe de cheveux n'allait pas du tout ! Ses cheveux étaient coupés très courts, « *scandaleusement courts* », avait-elle écrit. Les miens étaient beaucoup trop longs.

Un instant bouleversée, je me calmai en pensant que tout ce que j'avais à faire, c'était de retourner voir Rose le lendemain pour quelques coups de ciseaux supplémentaires. Ainsi, j'aurais une tête semblable à celle de Sophie.

Chapitre 13

J'étais retournée chez Rose pour une coupe de cheveux. Cette fois, je fus satisfaite. Ils étaient extra-courts, comme je l'avais souhaité.

De retour chez moi, je vérifiai le répondeur au cas où j'aurais eu des messages. Mais personne n'avait téléphoné. Puis, en passant dans la cuisine, je notai que c'était l'heure de mon émission favorite *Au-delà de la raison*, émission que toutes mes amies ne manquaient jamais de regarder.

Debout dans la cuisine, je cherchai Onyx, notre chat noir, pour lui donner son repas. Il n'était nulle part en vue. Pourtant, d'habitude, il était toujours là, en train de frôler son pelage soyeux contre mes jambes. Bof ! Il reviendrait bien réclamer son souper en miaulant sans arrêt.

Puis je décidai de me faire un sandwich au thon, comme la veille, et de le déguster devant la télé. Chose qui m'était interdite par ma tante Gertrude, dont le caractère grognon ressemblait à celui d'un ours mal léché.

Quel soulagement qu'elle soit absente. Enfin, j'avais la sainte paix... J'éteignis toutes les lumières pour ne laisser que la lueur du petit écran éclairer la pièce. Cela créait une atmosphère propice pour écouter cette série hebdomadaire où l'on parlait de clairvoyance, de perception extra-sensorielle, de médiums, de spiritisme, de mondes parallèles, de réincarnation et autres sujets occultes, insolites, surnaturels ou bizarres.

Je pris donc place sur le sofa dans la clarté fantomatique qui émanait de la télé.

— Chers téléspectateurs, bienvenue à *Au-delà de la raison*, dit l'annonceur d'une voix presque éteinte. Et maintenant, votre animateur : Crystal.

Un petit homme aux yeux de braise noirs apparut à l'écran.

— Bonsoir à tous, bienvenue à cette émission qui nous enseigne que pour comprendre les mystères de l'univers, il faut étendre notre regard... (pause dramatique) *AU-DELÀ DE LA RAISON* ! Ce soir, nous vous entretiendrons de la réincarnation et des vies antérieures. Plusieurs personnes ont été invitées pour vous parler de leurs « mémoires d'outre-tombe ».

Il s'adressait à nous, les téléspectateurs, d'une voix vibrante, en fixant la caméra de son regard ardent comme pour hypnotiser son auditoire invisible.

— Ma première invitée s'appelle Suzelle Marsan.

Une dame au visage rond comme une pleine lune,

aux cheveux blonds coupés au carré et aux yeux bleus angéliques, prit la parole:

— Je fus, dans une vie antérieure, une charmeuse de serpents au cirque Barnum and Baily, au début du vingtième siècle, déclara-t-elle solennellement.

Suivit une fille d'environ mon âge. Elle était frêle, avec d'immenses yeux noirs bordés de longs cils.

— Je m'appelle Céline Caron. Dans mes vies passées, j'ai vécu comme princesse égyptienne, puis comme danseuse de flamenco, en Espagne, au dix-neuvième siècle. J'ai réalisé que j'avais été une princesse égyptienne le jour où j'ai vu un portrait de moi dans un musée.

Ensuite, un homme d'un certain âge, portant des verres épais qui lui donnaient l'aspect d'un hibou, s'approcha. Il ressemblait aux photos des grands-pères dans les livres d'enfants.

— Moi, je suis Claude Beauregard. Avant, j'étais Napoléon.

Une publicité pour Urgel Bourgie interrompit l'émission.

Je me dis que les invités, ce jour-là, semblaient bizarroïdes. Quand Jade regardait l'émission en ma compagnie, elle s'en amusait et riait franchement. Elle disait en s'esclaffant que c'étaient «des sornettes, des sottises et des stupidités» que l'on présentait là. Elle appelait l'émission «Au-delà de la folie».

Mais je n'étais pas prête à rejeter entièrement ce qu'on racontait pendant cette émission. Spécialement les vies antérieures, surtout après les choses étranges, énigmatiques qui m'étaient arrivées dernièrement... D'abord, le cauchemar au sujet du journal ; ensuite, ces sentiments étranges que je ressentais comme s'il s'agissait de souvenirs lointains ensevelis dans les oubliettes de ma mémoire cellulaire...

Assise seule dans mon salon baigné de la lumière fantomatique émanant de l'écran, je tins conseil avec moi-même : « Que se passait-il quand on savait qui on avait été dans notre vie passée ? »

À cet instant, Crystal prit la parole.

— Nous avons beaucoup à apprendre de nos vies passées, affirma-t-il. Nous les répétons et y revenons encore et encore jusqu'à ce que nous ayons appris ce que nous étions supposés apprendre. Tant que nous ne l'avons pas compris, l'histoire se répète. C'est ça, le karma. Nous venons sur la Terre pour apprendre et appliquer les lois cosmiques. La réincarnation n'est pas une affaire individuelle. Des groupes d'âmes se réincarnent ensemble, cycliquement, pour exécuter le plan divin.

Le petit homme reprit son souffle et joignit les mains.

— Oh ! nous ne menons pas *exactement* la même vie ! Il y a des choses qui changent. Nous avons des apparences, des personnalités différentes, d'une vie à l'autre. Car nous choisissons, avec nos guides spirituels, différentes influences et forces spirituelles pour nous aider à évoluer, d'une incarnation à l'autre. Souvent, si dans une vie, on est contestataire ou flamboyant, on pourra être calme et discipliné dans la suivante. On pourra être un homme dans une vie, et une femme dans l'autre.

J'eus la nette impression qu'à travers l'œil de la caméra, Crystal *me* regardait.

— Cependant, ajouta-t-il, nous tournons sans cesse sur la même roue en tentant de résoudre les mêmes problèmes… et en rencontrant les mêmes personnes encore et encore dans chacune de nos vies… jusqu'à ce que nous apprenions ce que nous devons connaître.

« Hein ? Quoi ? » me dis-je. Crystal nous souhaita le bonsoir et nous convia à revenir la semaine suivante.

Toujours assise, je me mis à frissonner intérieurement jusqu'à en trembler littéralement. « *Que se passe-t-il si… Que se passe-t-il si…* »

Je n'arrivais pas à formuler mon idée.

« Que se passe-t-il si la seule chose qu'on connaisse de notre vie passée… ce sont les circonstances entourant notre passage de vie à trépas ? »

Chapitre 14

J'étais allée assez loin AU-DELÀ DE LA RAISON pour ce soir-là. Je fermai donc la télé. Instantanément, un malaise m'envahit. Tout dans la maison était calme... Trop calme.

Je décidai de lire quelques pages du journal de Sophie. Je songeai à mettre de la musique pendant que je lirais. Mais quoi, au juste ? Quel genre de musique Sophie aimait-elle ? Son journal était muet à ce sujet. J'ignorais pourquoi, mais j'en étais déçue...

C'est donc dans le silence de la nuit que je m'allongeai sur le sofa, un coussin sous la tête, avec le confident en papier des pensées de Sophie.

Je venais de l'ouvrir et y cherchais la dernière page que j'avais lue lorsque, d'un geste abrupt, je le reposai par terre.

J'avais détecté une présence insolite dans la maison.

En un clin d'œil, tous mes sens se mirent en alerte. Mon cœur battait comme un tambour zoulou.

Boum-boum. Boum-boum. Boum-boum...

J'aurais voulu m'asseoir. Mais la peur me paralysait. Je n'osais bouger le moindre petit muscle de mon corps aux abois.

Qui donc était là, caché dans la pénombre ?

Aucun bruit, cependant, ne trahissait la présence alarmante dont mes nerfs et mon intuition m'avertissaient.

Demeurer immobile devint intolérable.

Lentement, très lentement, je m'assis.

Boum-boum. Boum-boum. Boum-boum…

Tante Gertrude était-elle de retour ? C'était impossible. Elle ne se souciait guère d'être bruyante. En fait, sitôt entrée, elle se mettait à grommeler. C'était son habitude.

Mais là, aucune porte ne s'était ouverte ou refermée.

Je restai assise. On aurait dit que j'avais été transformée en statue.

La pièce était climatisée, mais je sentais une moiteur suspecte former des gouttelettes de sueur au-dessus de ma lèvre supérieure, sur mon front, sous mes aisselles, dans mon dos, à l'intérieur de mes mains…

Des images défilèrent dans mon esprit à la vitesse de l'éclair. Je respirais à peine de peur d'être entendue… Puis je tins d'urgence conseil avec moi-même. « Tu regardes trop de films… Trop de films d'horreur où l'héroïne, seule dans une maison, ou perdue dans une forêt sombre, devient la victime toute désignée d'un assassin au cerveau détraqué, désireux d'assouvir ses instincts meurtriers… »

La pleine lune attira mon regard, et je notai alors avec un grand effroi que la porte vitrée du petit solarium était entrouverte…

… Tout à coup, je sentis sur ma nuque la pression menaçante de deux mains inconnues que je ne pouvais voir…

… J'allais m'évanouir et sûrement mourir…

Chapitre 15

« Je vais mourir ! Je vais mourir ! »

Mes cris se répercutèrent jusque dans les autres pièces de la maison.

Je pivotai sur moi-même.

— Roch !

Son petit sourire en coin changea mon effroi en colère. Je crus un instant que mon cœur allait sortir de ma poitrine tellement il battait fort. Cette sinistre plaisanterie m'avait mise hors de moi-même.

Mais le petit rire béat de Roch s'était changé en une expression de frayeur. J'étais confuse. Puis son visage s'illumina comme s'il venait de me reconnaître. Je réalisai à ce moment qu'il ne s'attendait pas à une telle métamorphose de ma personne. Certes, il m'avait surprise, mais, je lui avais bien rendu la pareille.

Toute cette situation m'apparut tellement ridicule que j'éclatai de rire. Que serait-il arrivé si Roch avait surpris tante Gertrude de cette façon ? Une autre pensée me traversa l'esprit. Tout ce qui venait de se passer n'était pas une farce plate d'étudiant. *Roch s'était introduit dans la maison. Il s'était dissimulé dans la noirceur de la pièce.*

Roch m'examinait de la tête aux pieds. Son visage laissait paraître une expression inquiétante.

— Tu m'as vraiment effrayée, Roch, tu sais. J'espère que tu ne t'amuseras plus à me jouer ces tours de mauvais goût.

Le ton de ma voix ne cachait pas l'incertitude que j'éprouvais à son sujet. Il continuait à me regarder avec des yeux tels ceux d'une statue, comme s'il n'avait rien entendu.

— Quoi de neuf? demandai-je après un long moment de silence.

— Quoi de neuf? répéta-t-il. C'est que tu m'as laissé tomber. As-tu oublié que nous devions nous rencontrer à la bibliothèque pour nos recherches?

Je ne me souvenais pas du tout de cette entente.

— Est-ce une autre de tes mauvaises plaisanteries?

— Pas du tout, Diane!

Je sentis la tension monter entre nous.

Roch s'approcha de la table de la salle à manger jonchée de prospectus de différents cégeps. Il prit le premier sur la pile, celui du Collège Ahuntsic, *le cégep où il allait poursuivre ses études.*

Roch se mit à feuilleter le prospectus. L'air glacial de son visage semblait s'adoucir.

— Ainsi, tu as choisi le Collège Ahuntsic, si je comprends bien, me dit-il en me montrant le prospectus.

— Non, Roch, je n'ai encore rien décidé.

— Bien, tu connais la raison pour laquelle je désire que nous fréquentions le même cégep. Je veux partager l'avenir avec toi. C'est important pour moi, Diane.

Il y avait dans sa voix quelque chose qui ressemblait à un ordre et qui m'irritait.

— Et moi, dans tout ça, qu'est-ce qui est important pour moi ?

— Mais, le fait *d'être avec moi.*

Son ton était devenu agressif.

— Ou, peut-être que ça n'a plus d'importance pour toi, ajouta-t-il. Et c'est pour ça que tu as *oublié* notre rendez-vous à la bibliothèque.

Je bouillais de colère.

— Si tu crois, Roch Daviault, que j'étais avec un autre gars, tu es dans les patates jusqu'au cou. J'étais au salon de coiffure ! Ça ne se voit pas, non ?

Roch, silencieux, prit place sur le sofa, l'air embarrassé.

— Comme je suis parfois con ! commenta-t-il. Oublions la question du cégep. Puis, prenant un ton doucereux, il enchaîna : Ton apparence est si différente... mais je l'aime, je veux dire ta nouvelle coupe de cheveux.

J'étais soulagée de voir qu'il s'était apaisé.

— Roch, quand tu dis *partager l'avenir avec toi... c'est important pour moi...*, j'ai l'impression que c'est une question cruciale pour toi. Mais, n'oublie pas que nous ne sommes qu'en cinquième secondaire.

Roch hocha la tête de haut en bas.

— Hé, qu'est-ce que c'est que ça ?

Il ramassa le reste du sandwich que j'avais laissé dans l'assiette.

— Un sandwich au thon ? fit-il. Je croyais que tu détestais le thon.

Il avait raison. Je cherchai une excuse.

— C'est tante Gertrude qui m'avait avertie que j'étais allergique au thon. Je l'ai crue jusqu'à aujourd'hui. Elle a dû faire erreur.

— Bon. Maintenant, écoute, oublions tout de cette soirée, veux-tu ?

— D'accord, Roch.

Il m'embrassa rapidement sur la bouche et partit en fermant avec soin la porte de la véranda.

Je le suivis des yeux, tentant d'oublier la froide expression que j'avais lue sur son visage. Jusqu'où pouvait-il manifester sa colère ?

Je chassai ces craintes de mon esprit. Non, Roch n'était ni violent, ni mesquin. C'est que, parfois, il avait des sautes d'humeur.

Chapitre 16

Monsieur Paris entra dans la classe et déposa son porte-documents sur son bureau. Je fermai le journal dont je venais de parcourir quelques pages et le plaçai dans mon pupitre. Dans ma tête, je passai en revue ce que je venais de lire.

Sophie avait triché lors d'un examen. C'était devenu chez elle une habitude, comme celle de piquer dans les magasins ou de s'évader durant la nuit. Elle prenait grand soin de ne pas se faire pincer par sa cousine — la cousine Bécassine — à qui l'on avait toujours proposé Sophie comme modèle, à cause de sa bonne conduite. Mais la cousine avait la langue bien pendue. Elle n'avait pas sa pareille pour fouiner dans les affaires des autres.

Aussi Sophie ne manquait-elle jamais l'occasion de la piquer au vif, de lui jouer des tours pendables dont la lecture, à la fin, me faisait rigoler. Pour moi, Sophie s'amusait comme une petite folle. Elle ne lui voulait aucun mal.

Toutefois, je n'acceptais pas aussi facilement le

comportement de Sophie dans les magasins ou lors des examens. Je n'avais jamais osé poser de tels gestes. Je réagissais comme si l'une de mes amies avait fait une chose que je désapprouvais.

À ce moment, l'image de Sophie m'apparut. Elle me ridiculisait, se moquait de mes scrupules. J'étais troublée au point d'en rougir.

— Qu'est-ce qui ne va pas? interrogea Julie, assise à mes côtés. Tu es toute rouge.

— Il fait très chaud dans la classe.

— Pourtant, moi, je me sens très bien. Dis donc, Diane, as-tu bien étudié pour l'examen?

— Quel examen? fis-je, surprise.

Avant que Julie ne puisse répondre, des feuilles-questionnaires atterrirent sur mon pupitre.

— Cet examen-ci! lança Julie en montrant les feuillets. Étais-tu dans la Lune lorsque monsieur Paris l'a annoncé?

Je commençais à paniquer. Je devais être ailleurs… ou dans une autre vie, lors de l'annonce de monsieur Paris, *ou en train de lire*.

Je ne voulais pas l'admettre mais, depuis quelques semaines, je me heurtais à un problème: la lecture du journal.

Auparavant, à la maison, je passais des heures à fignoler mes travaux scolaires, ce qui me valait de bonnes notes. L'année scolaire achevait, le plus gros du travail en classe était du passé.

Mais depuis que j'avais commencé la lecture du journal de Sophie, j'étais moins réceptive en classe.

J'étais souvent dans les nuages. Chaque jour, je me répétais qu'il fallait me replonger dans les études avant l'examen final. Invariablement, la tentation de lire quelques pages du journal refaisait surface, et je perdais des heures entières à le parcourir.

À cet instant, je me promis, qu'après cet examen, je porterais plus d'attention aux paroles du prof, que j'étudierais davantage à la maison. Ma résolution était ferme.

— Vous avez eu beaucoup de temps pour préparer cet examen, commenta le prof, inutile de vous souhaiter bonne chance, car je sais que vous réussirez tous.

Je commençai la lecture des questions. *Quand, diable, le prof nous avait-il enseigné ces matières ?* Quand avait-il abordé les sujets de ces questions ?

Je scrutai la classe. Aucune panique ! Tous et chacun, calmement, mettait sur papier ses réponses.

Je devais revenir d'un long congé... Qu'allais-je faire ?

Une solution surgit devant mes yeux, comme un éclair : Annie Bélanger avait placé les feuillets qu'elle venait de compléter sur le coin de son pupitre, comme d'habitude. J'avais toujours évité scrupuleusement de jeter un œil sur ses réponses.

C'est un geste incorrect à poser.

Mais ce serait si facile.

Cousine Bécassine.

Je voyais une rangée de réponses... a, b, a, d, e, e, etc. Et Annie était une des plus brillantes élèves. Je n'avais qu'à répéter ces lettres sur mon feuillet et le tour serait joué.

« *Non*, me dis-je. Pas question de tricher ! Je vais faire mon possible. À la grâce de Dieu ! »

Si je ne voulais pas tricher, pourquoi alors continuais-je à épier les autres pendant que je jetais un regard furtif sur les réponses d'Annie ?

Et pourquoi la main qui tenait mon crayon écrivait-elle sans hésiter, dans les espaces prévus à cet effet, les lettres *a, b, a, d, e, etc. ?*

« *Vas-y, fais-le.*

Non.

C'est facile. Je l'ai déjà fait.

Non. »

Les pieds de ma chaise grincèrent sur le plancher. Je me levai, ignorant les regards de surprise que me lançaient les autres élèves. Un goût de fiel amer monta dans ma gorge et me donna la nausée. En courant, je sortis de la classe. Dans le corridor, mes pas résonnèrent comme des coups de maillets, sur le bureau du juge, avant qu'il ne donne sa sentence...

J'eus à peine le temps de franchir la porte de la salle de toilette, où je fus prise d'une violente indigestion.

Chapitre 17

Je ne retournai pas en classe, mais pris le chemin de la maison. J'avais besoin de réfléchir.

Un sentiment étrange et alarmant m'envahissait. Depuis quelque temps, je me mentais à moi-même, me faisant croire que tout allait pour le mieux dans le meilleur des mondes. Je ne pouvais plus continuer dans cette voie.

Je n'avais pas voulu tricher, mais je n'avais pu m'en empêcher, ce qui m'avait *littéralement rendue malade*.

Ces derniers temps, je m'étais surprise à répéter les gestes posés par Sophie et décrits dans son journal. Une transformation s'effectuait en moi, mais je m'en foutais. J'éprouvais trop de plaisir à imiter Sophie pour m'arrêter.

Je repassai dans mon esprit les événements des dernières semaines, comme la soirée chez Annie où Roch et moi n'avions pas manqué une seule danse.

Je n'avais jamais aimé la danse avant de faire la lecture du journal de Sophie.

Mon comportement avait changé. Je prenais un malin plaisir à faire des pitreries, des plaisanteries piquantes, des railleries mordantes. La semaine dernière, devant un groupe de camarades, j'avais fait croire à une dame qu'on était en train de voler sa voiture dans le stationnement du centre commercial. Nous nous étions esclaffés en la voyant paniquer et courir comme une perdue.

J'avais compris par la suite que le rire était souvent provoqué par le choc de la surprise.

Je voulais choquer pour attirer l'attention.

C'était le genre de choses que je lisais dans le journal de Sophie.

Mes amis remarquaient les changements qui s'effectuaient en moi, mes cheveux coupés très courts, *pour ressembler à Sophie. Je les avais même fait teindre en blond.* Rose avait soigneusement verni mes ongles avec le *même rouge que, dans mon imagination, Sophie utilisait.* J'avais même cessé d'écrire mon journal pour me consacrer à celui de Sophie.

De plus en plus, je *pensais* comme elle, j'éprouvais ses *émotions*, à un point tel que j'en étais rendue à me demander qui était qui.

La sonnerie du téléphone me fit sursauter.

— Allô ?

— Allô Diane. N'es-tu pas fatiguée d'agacer et d'importuner les autres avec tes farces plates ? Pourquoi ne fais-tu pas preuve de plus de franchise ?

— Qui parle ?

— Tu le sauras assez tôt.

— Tu n'es pas drôle. Tu es malade dans la tête, répondis-je en raccrochant.

De nouveau, la sonnerie se fit entendre.

— Allô ?

Un moment de silence fut interrompu par un bruit. J'entendis de l'eau qui coulait comme un torrent. Une image surgit dans ma tête : Je me voyais dans un cours d'eau, emportée par un chapelet de tourbillons.

— Ce bruit t'est-il familier ? questionna la voix étouffée à l'autre bout du fil avant de raccrocher.

Une troisième fois, le téléphone sonna.

— Que veux-tu ? criai-je dans l'appareil.

— C'est toi, Diane ?

— Excuse-moi, Jade. C'est que je viens de recevoir des appels d'un mauvais plaisantin.

— Réponds-lui d'une voix indifférente pour ne pas lui laisser le plaisir de croire que ses appels te dérangent. Mais, dis donc, que t'est-il arrivé en classe ? Je t'ai cherchée partout sans succès.

— Oh ! je me suis sentie subitement malade, sans doute à cause de quelque chose que j'avais mangé ! Mais là, ça va.

— Alors, tu seras à ton rendez-vous avec Roch ce soir ?

— Quoi ?

— Tu m'as dit que Roch t'avait donné rendez-vous ce soir, n'est-ce pas ?

— Ah ! oui, en effet ! Oui, oui, j'y serai. Je dois

faire vite et me préparer. À la prochaine !

— D'accord, Diane, salut !

Roch s'était montré gentil récemment. Il avait tenu parole et n'avait plus fait allusion au cégep ni à notre avenir. Peut-être devrais-je lui dévoiler ce qui m'arrivait ? Si seulement je pouvais trouver la bonne façon de le faire.

J'ouvris la porte de ma garde-robe. Qu'allais-je porter ce soir ? Je vis de nouveaux vêtements tout neufs que je ne me souvenais pas avoir achetés. Les étiquettes de prix y étaient encore attachées. Pourtant, lorsque je payais mes vêtements, on enlevait aussitôt les étiquettes. Je ne les avais donc pas payés ? À ce moment, je compris pourquoi. J'avais lu, dans son journal, comment Sophie s'y prenait pour piquer des objets, des vêtements. Je n'approuvais pas ses gestes et pourtant je les posais sans scrupules.

Je n'avais pas le choix.

Ce qui, au début, n'était qu'une fantaisie s'était transformé en une obsession incontrôlable.

Chapitre 18

Le journal de Sophie m'avait appris qu'elle peignait. À la suite de cette lecture, j'avais acheté une toile, des tubes de peinture, de l'huile de lin, de la térébenthine et des pinceaux.

Comme Sophie, j'allais peindre.

Il va sans dire que j'abordais ce domaine artistique sans prétention. Oh ! j'aimais bien fabriquer de menus objets comme des colliers, des bracelets et autres choses du genre, mais je n'avais jamais exposé aux Beaux-arts ! Les Riopelle, Leduc, Ayotte, Fortin, Bourbonnais et compagnie ne faisaient pas partie du cercle de mes amis. En fait, tout ce que je savais de la peinture, c'est que, comme le dit la chanson : « La peinture à l'huile, c'est bien plus beau que la peinture à l'eau. »

Pourtant, dès que je me mis à l'œuvre, j'éprouvai peu de difficultés, comme si une main inconnue tenait la mienne pour mélanger les couleurs et manipuler les pinceaux.

Après un certain temps, je pris conscience, tout

à coup, que cette facilité me rappelait des choses lues dans le journal et que je maîtrisais, maintenant, sans difficulté, comme tricher, voler.

Je venais à peine de commencer mon autoportrait à l'aide d'un miroir que j'avais l'impression d'avoir déjà peint de nombreuses toiles.

Des heures durant, je peignais et peignais, souvent en transes, comme si un esprit étranger avait remplacé le mien. J'étais littéralement envoûtée, surprise par mon nouveau talent.

Les mots me manquent pour exprimer les sentiments que je ressentis lorsque je mis la touche finale à mon autoportrait. Une impression d'étrangeté m'envahit. Ce travail m'avait épuisée. Une grande fatigue inondait tout mon être comme une marée qui monte à l'assaut du rivage.

J'allai prendre un grand verre d'eau froide dans la cuisine, avant de retourner contempler mon chef-d'œuvre.

Ce que je vis me terrifia.

J'avais encadré ma figure d'une lueur fantomatique, surnaturelle. Ma chevelure mouillée collait à mon crâne, et des gouttelettes d'eau dégoulinaient sur mes épaules.

La peau de mon visage était moite et blanche comme la lune.

Des yeux immenses brillaient dans le creux de leurs orbites et lançaient dans l'espace un regard implorant. Les lèvres étaient bleuâtres…

Plus j'examinais mon autoportrait, plus j'étais

sidérée. Des détails m'apparaissaient soudain, chacun plus terrifiant que le précédent…

Prise de panique, je compris soudain avec effroi l'affreuse vérité : en prenant pour modèle mon reflet dans le miroir, *j'avais peint un cadavre! Et, chose impensable, ce cadavre serrait entre ses doigts bleuâtres un petit cahier rouge… celui-là même que j'avais lu, dans le sinistre cauchemar qui, tel un esprit malfaisant, avait hanté la nuit du seizième anniversaire de mon arrivée sur la Terre.*

J'entreposai mon autoportrait horrifique au sous-sol, face contre le mur et m'en éloignai avec terreur.

Quelques jours plus tard, mes craintes se dissipèrent et je redevins moi-même. Ou ressentais-je davantage les choses de la même façon que Sophie ?

Étais-je en train de perdre mon identité propre au profit de celle d'une morte ?

Je songeais à cela quand, un soir, en revenant du *Portail de la beauté* (l'entretien de mes ongles me causait des difficultés depuis que la peinture occupait mes loisirs), je vis qu'un nouveau commerce avait ouvert ses portes.

Curieuse, je m'approchai pour mieux lire l'enseigne. MADAME ALCYONE, l'œil du temps, disait-elle. Un œil, encerclé de rayons lumineux, y était peint.

À travers la fenêtre habillée de dentelle, j'aperçus une dame aux cheveux gris. À première vue, elle n'avait rien de remarquable. Aussi m'expliquai-je mal ce mystérieux rayonnement qui émanait de sa personne.

Toujours derrière sa fenêtre, elle leva les yeux et posa sur moi un regard bienveillant, comme si elle me connaissait et attendait ma venue.

D'un geste de la main, elle m'invita à entrer. Presque hypnotisée, je franchis le seuil de la porte.

À l'intérieur, l'air était aussi frais qu'en montagne. Une musique douce et soyeuse y coulait, comme murmure en chantant une source cachée, sous les pierres moussues et les vertes fougères d'un sous-bois enchanté. Sous mes pas, un tapis épais me donnait l'impression de marcher sur un bout de nuage. C'était magique.

Madame Alcyone replaçait des cristaux dans une étagère vitrée pendant que, fascinée, j'observais ses mouvements. Calmement, elle tourna vers moi un regard qui semblait lire en mon âme troublée.

— Quelque chose te tourmente et tu cherches une réponse. Je le perçois dans ton aura, dans l'énergie qui vibre autour de toi, déclara-t-elle.

Je ne pus qu'incliner la tête.

En silence, madame Alcyone plongea le regard intense de ses yeux sombres dans le mien qui était craintif et interrogateur…

La première chose que je sus, c'est que je lui avais raconté toutes les péripéties que j'avais vécues récemment. Je n'avais pas fini mon récit qu'elle m'arrêta d'un geste de la main.

— L'entité que tu as été dans une vie antérieure

cause des interférences dans ta vie actuelle, me dit-elle du même ton qu'un médecin emploie pour apprendre à sa patiente qu'elle a une fracture au bras. Connaître sa vie passée est bien, ajouta-t-elle. Mais la revivre comme tu le fais présentement peut être... hum!... dangereux. Tu dois donc examiner ta vie actuelle avec attention, sous peine de devoir répéter les mêmes expériences tant et aussi longtemps que tu n'auras pas retenu la leçon que tu es venue apprendre.

— Ah? Crystal a dit la même chose lors de son émission à la télé...

Oups! je venais de faire une gaffe. À la mention de Crystal, madame Alcyone fit une grimace de dégoût.

— Cet individu est un charlatan, dit-elle en crachant presque les mots comme s'ils avaient eu dans sa bouche un goût de fiel.

Pourtant, ses paroles ressemblaient drôlement aux propos que j'avais entendus à *Au-delà de la raison*, mais je crus bon de tenir ma langue.

— Un imposteur et un idiot. Oui, un imposteur et un idiot, marmonna-t-elle en arpentant la pièce d'un bout à l'autre.

Puis, d'un seul coup, elle s'apaisa.

— Bon. Crystal n'a pas d'importance. Nous allons plutôt nous occuper de toi. Si tu veux, on va faire une régression. Ainsi, tu vas pouvoir retourner dans ta vie passée et voir pourquoi ces événements-là se produisent dans ta vie d'aujourd'hui.

Aussi bizarre que cela puisse paraître, je n'eus aucune hésitation à accepter sa suggestion. Je ne bronchai même pas lorsqu'il fut question de ses honoraires, car j'avais en poche la carte de crédit de tante Gertrude. « Bah ! me dis-je, je lui remettrai l'argent plus tard. »

J'étais à ce point désespérée que j'aurais essayé n'importe quoi, ou presque, pour trouver la clé de l'énigme qui bouleversait ma vie et qui, telle l'épée de Damoclès, semblait suspendue au-dessus de ma tête prête à tomber.

Quoique, intérieurement, je ne *croyais pas réellement* que cela marcherait.

Chapitre 19

Madame Alcyone me fit passer à l'arrière, dans une petite pièce dépourvue de fenêtres où des coussins jonchaient le sol.

Elle m'invita à m'y étendre et plaça un oreiller sous ma tête. L'éclairage bleuté et discret se prêtait bien à la détente. D'une voix basse et chantante, madame Alcyone entreprit de provoquer chez moi un état hypnotique.

— Tu as la sensation, maintenant, que ton corps flotte dans l'espace... qu'il s'élève, léger, dans l'espace paisible... tout est calme... tu planes dans le calme...

J'étais à peine consciente de la douce musique de fond dont les notes caressantes traversaient la brume de l'engourdissement qui, peu à peu, m'envahissait et berçait mon esprit...

— Tu vas maintenant te concentrer sur le son de ma voix...

En effet, peu après, je n'entendis plus que sa voix harmonieuse qu'accompagnait en contrepoint le souffle de la musique. Puis même la mélodie s'effaça.

— Bon. Maintenant, laisse ton esprit conscient s'envoler... comme si tu libérais un oiseau d'une cage... À présent, tu peux laisser remonter les souvenirs de ton passé à la surface de ta mémoire... Tu es prête à retourner dans le tunnel du temps... Vas-y... tu recules vers les années de ton enfance... Tu es un bébé... Tu es un fœtus... Tu recules encore... encore... encore... tu es dans un autre temps, maintenant.

— Ne crains rien. N'aie pas peur des images que tu verras de cette vie passée... Tu es protégée par une coquille douce et mœlleuse de lumière blanc doré... Rien ne peut t'arriver... Rien ne peut te blesser...

Les yeux fermés, je visualisais un tunnel de brique dans lequel je cheminais à pas lents.

Ô miracle ! Le tunnel de brique, tout à coup, se volatilisa. Je n'avais plus à tenter de visualiser quoi que ce soit. J'étais ailleurs, dans une autre dimension... Je flottais maintenant comme dans un couloir lumineux... Était-ce de l'air ?... De la lumière ?... Le monde astral ?... Ce qu'on appelle parfois de la matière surnaturelle ?... J'étais incapable de décrire exactement le phénomène. Mais je me sentis tomber, tomber, tomber de plus en plus loin à l'intérieur.

Et voilà que la lumière, au lieu de m'entourer, se trouvait devant moi et m'attirait comme un aimant. Je me sentis propulsée comme une fusée vers elle avec une vitesse croissante. Je n'entendais même plus la voix de madame Alcyone.

Où donc, à cette vitesse vertigineuse, ce tourbillon de lumière m'emportait-il ? Je voulus crier... Je voulus m'arrêter... Subitement, tout devint noir et je m'immobilisai.

En quel lieu étrange ce voyage dans le temps m'avait-il catapultée ?

Tout à coup, un bruit lointain attira mon attention. Puis il se rapprocha encore et encore, si bien que j'en fus comme enveloppée. Tout d'abord, cela me rappela le murmure de la mer qu'on écoute dans un gros coquillage.

Ensuite, d'autres bruits naquirent du silence et s'enflèrent pour éclater, dans mes oreilles, comme un bruit de tonnerre.

Le doux clapotis des flots bleus, déferlant doucement sur la plage, avait soudain fait place au mugissement d'une mer en furie. Les tympans de mes oreilles allaient sûrement éclater... Et en plus de l'entendre, voilà que je le ressentais. Ma tête allait exploser sous l'impact d'une vive douleur...

Un son, semblable celui-là à des coups de tambour, vint se joindre à celui du ressac rugissant et gagna peu à peu en intensité.

Enfin, un autre instrument se joignit à l'orchestre infernal: des castagnettes invisibles se mirent à claquer avec un bruit assourdissant.

Lentement, j'en vins à comprendre que le bruit du ressac n'était autre que celui du sang que mon cœur pompait dans mes artères. Les coups de tambour, c'était mon cœur qui battait. Et le claquement des castagnettes était causé par mes... dents.

À mesure que la vérité se faisait jour dans mon esprit, les battements de mon cœur s'apaisèrent et je retrouvai un peu de calme. Un peu seulement, car je me sentais bizarre, hors d'équilibre, fractionnée, hors de ma personne.

Je concentrai alors toutes mes forces et toute ma volonté pour relever la tête. Et... cela fonctionna. En fait, dès que je bougeai la tête, je pus mouvoir facilement tout mon corps.

Pendant un instant, j'eus l'impression d'être chez moi, entourée d'un décor familier. Je me croyais dans ma chambre... jusqu'à ce que j'y regarde de plus près...

Un à un, j'examinai chacun des objets que je voyais : les posters sur le mur, le pupitre, la chaise, la lampe, la commode. Mais là, ma raison se cabra comme un cheval épouvanté. Cette chambre, je le savais, était *censée être la mienne.*

MAIS JE NE RECONNAISSAIS AUCUN DES OBJETS QUI S'Y TROUVAIENT.

La photo d'un joli garçon aux cheveux mi-longs, blonds comme les sables du désert, et aux yeux bleu pâle, était posée sur la table de nuit. Sa bouche semblait m'adresser un fin sourire, derrière la vitre du cadre doré. Qui donc était-il ?

Puis je remarquai des albums de disques, sur une tablette de l'armoire.

Des disques de vinyle noir !... Non pas des disques compacts. À côté, trônait un gramophone.

Une autre machine occupait le pupitre. Pas un ordinateur, mais une *machine à écrire ordinaire*.

Mais où diable étais-je donc rendue ? *Et, surtout, qui étais-je ?*

Je courus vers le miroir pour l'interroger. *Un hurlement s'échappa de ma poitrine.* Sortilège du temps ? Mauvais coup du destin ?

Inexplicablement, l'image que me renvoyait le miroir était celle d'une inconnue.

Chapitre 20

J'ignore encore comment, mais madame Alcyone me ramena du passé, en arrêtant la séance de régression. Je cessai de crier et lui racontai l'expérience que je venais de vivre.

— Le visage du miroir, de quoi avait-il l'air ?

Je poussai un profond soupir.

— Impossible de m'en souvenir, dis-je. Était-il beau ou laid ? Jeune ou vieux ? Je ne sais pas. Mais je me rappelle que c'était le visage d'une personne... décédée !

Je me pris la tête à deux mains. Que voulait dire tout ça ? Madame Alcyone m'en donna son interprétation, et je me levai pour m'en aller.

— Veux-tu revenir un autre jour et faire « un autre voyage dans le temps » ?

— Ah ! non, ça suffit comme ça ! m'exclamai-je. Je ne pourrais pas le prendre, je pense.

À mon retour, la maison était encore plongée dans le noir. Je commençais à m'inquiéter de l'absence de ma tante Gertrude... Puis je songeai qu'elle allait probablement fort bien et qu'elle serait fâchée si j'allais la déranger.

Je m'affalai sur le sofa et restai dans la noirceur pour méditer un peu.

Était-ce un mauvais rêve ou bien la vérité ? Et si c'était réel, cela signifierait que j'avais vraiment vu un bout de mon autre vie... celle que j'avais vécue avant cette incarnation-ci... Selon madame Alcyone, l'entité que j'avais été, dans ma vie antérieure, possédait une personnalité très forte. Et il s'était produit, dans sa vie d'alors, une situation ou un événement qu'elle avait juré de rectifier dans le futur.

L'expression d'horreur que j'avais vue sur le visage du miroir ne me quittait pas. (Elle me rappelait *Le Cri, célèbre tableau représentant un personnage qui crie, les mains crispées sur le visage et les yeux exorbités, peint en 1893 par Edvard Munch — ce peintre norvégien obsédé par l'idée de la mort, après avoir très tôt perdu sa mère et sa sœur aînée. Était-ce possible qu'on m'ait... assassinée ?*

Je me dis que cela n'était sans doute pas vrai. Mais madame Alcyone semblait convaincue du contraire. Pour elle, la seule explication logique des événements récents qui avaient marqué ma vie était la suivante : ma personnalité passée tentait de contacter ma personnalité présente dans le but de venger ma propre mort, pour que justice soit rendue.

Madame Alcyone m'avait révélé autre chose.

Tout le monde avait eu des vies antérieures. Il était donc probable que je connaisse aujourd'hui les mêmes gens que j'avais connus dans mon autre vie... C'était affolant !

Et si madame Alcyone avait vu juste ? Et si c'était vrai qu'on m'avait enlevé la vie ? Et qui m'avait tuée ? Un prof ? Ma meilleure amie ? Roch ? L'apprendrais-je un jour ?

Subitement, j'en eus un haut-le-cœur. Cette idée m'épouvantait.

Un doute trompeur s'installa dans mon esprit fiévreux. Tout cela était-il bel et bien réel, ou mon imagination m'avait-elle joué un vilain tour ?... Je ne le savais plus. Après tout, existait-il une preuve tangiblc dc ce que je croyais avoir vu ?

Je décidai d'oublier cette histoire hallucinante et de ne jamais revoir madame Alcyone.

Franchement, j'avais l'air d'une vraie folle, couchée là dans le noir à me torturer les méninges. Je sautai donc sur mes pieds et me dirigeai vers le commutateur du passage, pour faire de la lumière.

— Aïe ! m'écriai-je.

Mon pied venait de heurter un pied de la table basse.

Soudain, une voix sortie des ténèbres me figea sur place.

— Diane ?

Je reculai d'un pas, tout en lançant dans le noir des regards affolés. Mais je ne voyais rien...

— T'es pas fatiguée de tes petites manigances et

d'agacer le monde ? Tu n'aurais jamais dû commencer ces petits jeux-là avec moi. Rappelle-toi, Diane. Rappelle-toi bien qu'à la fin c'est toi qui perds et moi qui gagne…

Chapitre 21

Je reculai d'un autre pas et trébuchai sur quelque chose.

Quelque chose de vivant !

Quelque chose qui fila à toute vitesse entre mes jambes en poussant un grand cri.

— *MIAOUOUOU !*

Une ou deux secondes s'écoulèrent avant que je comprenne que ma peur était injustifiée. Ouf ! La chose qui m'avait frôlée dans sa course n'était autre que le chat. Et comme il était noir, je ne l'avais pas vu. Je laissai échapper un soupir de soulagement.

Oui, mais la voix ? C'était qui ?

J'avais eu tellement peur. J'avais les jambes toutes molles. Je dus m'appuyer un instant sur le sofa pour ne pas tomber. C'est alors que le bip du répondeur parvint à mes oreilles et confirma mes soupçons.

Par un malencontreux hasard, le chat avait dû mettre le répondeur en marche. Dans sa fuite effrénée, il avait dû marcher dessus et en activer le déclencheur, car il était posé par terre. La voix venait donc de là.

Après le bip, un autre message était enregistré :

— Ça fait longtemps qu'on ne s'est pas payé de bon temps ensemble, Diane. Je ne suis pas loin et je t'attends toujours. Rappelle-moi. Tu sais qui.

Je soupirai de nouveau. Cette fois, je savais de qui il s'agissait. C'était Roch.

Un autre bip.

— Salut Diane. C'est Jade. Je suis passée chez toi, tout à l'heure, mais tu n'y étais pas. N'oublie pas que tu m'as promis qu'on étudierait ensemble ce soir... Je veindrai plus tard, ou je te rappellerai... À tantôt.

J'étais bien contente que Jade s'en vienne. L'idée de rester toute seule dans la maison me donnait la chair de poule.

Cette histoire de voix mystérieuse, sur le répondeur, me chicotait. Que signifiait vraiment ce message menaçant ?

Dring ! Dring !

Je sursautai violemment.

Dring ! Dring ! Dring !

Le téléphone n'arrêtait pas de sonner. Et moi, je le regardais fixement sans oser répondre.

« Et si c'était Jade ? Ou bien tante Gertrude ?

« Et si... et si... et si...

« Voyons, me raisonnai-je. L'appel de tout à l'heure n'était probablement qu'une farce. »

Dring ! Dring !

« Pourquoi m'en faire ? Cela arrivait souvent à plein de gens, me dis-je. Ce n'était qu'un appel. Il n'y avait pas là de quoi fouetter un chat... »

Dring ! Dring !

Lentement, je soulevai le récepteur.

— Allô ?

Pendant un court moment, aucun son ne me parvint. Puis j'entendis un éclat de rire forcé. Je serrai le récepteur de toutes mes forces.

La friture sur la ligne m'apprit aussitôt qu'il s'agissait d'un enregistrement sur une cassette de mauvaise qualité.

— Diane, va voir à ta porte d'en arrière. Il y a un cadeau pour toi. Avec un message spécial.

Clic ! On avait coupé la communication à l'autre bout du fil. Évidemment, la personne qui avait fait cet enregistrement avait déguisé sa voix. Si bien que je n'avais pas la moindre idée de qui il s'agissait.

Je me retins pendant un long moment d'aller ouvrir la porte d'en arrière. Mais la curiosité l'emporta et je m'y rendis, sans toutefois allumer la lumière du balcon, de peur qu'on ne me voie. Je n'étais pas très brave, je l'avoue.

Cependant, j'avais l'intuition que rien de trop dangereux ne m'attendait... pas encore, du moins. Car la personne qui avait enregistré la cassette que je venais d'entendre prenait sûrement un malin plaisir à m'effrayer.

Je l'espérais, du moins.

Aussi, quand j'aperçus la boîte enrubannée de blanc et coiffée d'une grosse boucle, décidai-je de l'ouvrir.

Je savais bien que c'était de la folie pure et que j'aurais dû ne pas y toucher. Mais le démon de la curiosité fut plus fort que moi.

Avec précaution, je plaçai mon oreille contre la boîte. N'y ayant décelé aucune minuterie inquiétante, je dénouai le ruban qui l'attachait et en soulevai le couvercle...

Chapitre 22

BOIIIIIGNGN !

« Ce n'était pas une explosion à proprement parler », me dis-je en reprenant mon souffle, une fois l'effet de surprise passé. J'en avais été quitte pour la peur.

Oscillant au bout d'un ressort, un petit diable grimaçant, sorti d'une boîte à surprise, semblait me regarder malicieusement.

Ses doigts aux ongles crochus brandissaient un papier sur lequel un message avait été griffonné.

Le papier s'avéra être la page arrachée d'un journal. Il était barbouillé de sang, tout comme l'était le petit diable.

Un examen attentif me révéla cependant que le « sang » n'était en fait qu'un peu de peinture rouge. Somme toute, j'avais été victime d'une plaisanterie de mauvais goût. Cela me choqua, si bien que je lançai le diablotin et sa boîte à malice dehors dans la cour.

Puis je rentrai dans la maison en souhaitant que Jade arrive rapidement…

Ding, dong!

J'allai ouvrir la porte en toute hâte.

— Salut, dit Jade, d'un ton démoralisé.

Échevelée, le visage taché de boue, elle avait l'air écœurée. Sans rien ajouter, elle s'affala sur le sofa. Je me laissai tomber à côté d'elle.

— Ça va, Jade?

Ça me faisait tout drôle de lui poser cette question, étant donné la mésaventure qui venait de m'arriver une demi-heure plus tôt.

— Ne m'en parle pas. J'ai glissé, tout à l'heure, et j'ai laissé tomber mes livres et toute ma paperasse.

Plissant ses yeux, elle me toisa.

— T'es-tu *encore* fait couper les cheveux? Et puis t'es-tu *encore* acheté des vêtements neufs? Tu as toujours l'air de sortir d'un magazine de mode.

Sa mauvaise humeur me surprit.

— Et après? Où est le problème?

Jade soupira et se laissa glisser sur le plancher. Elle aimait s'asseoir là et s'adosser contre le sofa.

— Ah! je ne sais pas! répliqua-t-elle au bout de quelques secondes.

J'avais hâte de raconter à Jade l'épisode de ma séance de régression, chez madame Alcyone, et de lui parler des appels mystérieux que j'avais reçus. Mais elle semblait m'en vouloir pour une raison quelconque. Son attitude me faisait hésiter à lui faire part de mon «voyage» dans le temps et à lui parler des appels téléphoniques.

— Dis donc, Jade. Pourquoi n'allons-nous pas étudier dans le petit boudoir ? lui suggérai-je.

— D'accord, agréa-t-elle en se redressant dans un cliquetis de bracelets.

Tout en marchant vers l'autre pièce, je lui demandai à brûle-pourpoint, histoire de tâter le terrain :

— As-tu déjà pensé que peut-être, je dis bien peut-être, on a tous eu d'autres vies, avant ?

Jade me regarda de travers.

— Voyons donc, Diane. Viens pas me dire que tu crois à ces histoires à dormir debout.

Je voulus protester, défendre mon point de vue.

— Bien, pas tant que ça...

Jade secoua la tête.

— Les gens qui prétendent avoir vécu avant disent toujours qu'ils étaient de grands généraux, des princes, des reines ou des vedettes de cinéma célèbres dans leur autre vie. Mais as-tu remarqué, ils ne disent jamais qu'ils étaient du monde ordinaire... un cireur de babouches à Bagdad, une laveuse de vaisselle dans une auberge suisse ou encore, une madame pipi, dans un café parisien, ou que sais-je ?

Décidément, elle en avait gros sur le cœur.

— Non, non. C'est pas vrai, objectai-je.

— Moi, en tout cas, c'est ce que j'ai toujours entendu. Puis, explique-moi donc une chose... Depuis des siècles, les populations augmentent. Alors, si les gens se réincarnent encore et encore après leur mort, comment se fait-il que le nombre d'êtres humains ne soit pas toujours pareil ? Si tout le monde a vécu sur la terre avant, d'où viennent donc les autres ?

Tout en parlant, elle gesticulait sans arrêt. Elle semblait, comme qui dirait, montée sur ses grands chevaux.

— C'est de la bouillie pour les chats, continua-t-elle. Et ceux qui disent qu'ils sont réincarnés, ou quelques chose du genre, sont des malades. Franchement !... Ils ne font que faire coïncider la réalité avec leurs théories farfelues... Ils devraient se rendre compte qu'ils ont un gros problème et qu'ils ont besoin d'aide...

Je ne m'attendais pas à une telle sortie de sa part. Je ne poursuivis pas la conversation, car je n'avais d'autre argument que ma propre expérience pour la contredire.

De toute façon, nous étions maintenant dans le boudoir où j'avais apporté les livres dont nous aurions besoin pour préparer notre examen d'histoire, sur la royauté sanguinaire dans l'Angleterre du seizième siècle.

Jade regarda ses mains avant de s'asseoir et me dit qu'elle voulait se passer de l'eau fraîche sur le visage avant de commencer à étudier. Quelque chose la chicotait, j'en étais sûre. J'aurais bien voulu qu'elle m'en parle. Mais elle resta muette.

— Pas de problème, vas-y, l'enjoignis-je en m'assoyant. Je vais prendre des notes en t'attendant.

J'ouvris mon livre et commençai à mémoriser les noms et les dates que j'avais soulignés.

Cette histoire me faisait dresser les cheveux sur la tête. D'abord Marie la Sanglante fit décapiter sa cousine Jane Grey en 1554 pour lui prendre le trône. Puis sa sœur, Élisabeth première, femme jalouse et mesquine, fit trancher la tête de sa cousine Marie Stuart, en 1587…

Plusieurs minutes s'écoulèrent.

Je continuai à écrire et à étudier.

Il faut dire que ces deux reines meurtrières, qui, soit dit en passant, se haïssaient, étaient les filles d'Henri VIII (dit Barbe-Bleue) qui avait lui-même fait tuer deux des six femmes qu'il avait épousées. Anne Boleyn, en 1536, et Catherine Howard, en 1542. Jane Grey et Marie Stuart étaient les petites-nièces de ce roi meurtrier.

Jade ne revenait toujours pas.

Je me pris à songer avec horreur aux donjons humides et froids dont les murs moisis et craqués avaient été témoins de la solitude angoissante dont furent tourmentées, dans leur captivité, ces reines assassinées… J'imaginais les rats, les araignées, les mille-pattes rampant dans la pénombre de leur cachot, à peine éclairé d'une étroite fenêtre scellée de lourds barreaux. Je me pris à frissonner comme si, trahie tout à coup, j'étais emprisonnée à mon tour…

Je vérifiai ma montre. Quelque chose, sûrement, ne tournait pas rond. Mais quoi ? J'avais pressenti quelque chose à l'arrivée de mon amie. Elle ne m'avait cependant rien dit. Et là, elle avait quitté la pièce depuis près d'une demi-heure. Que se passait-il ?

Je me levai et me dirigeai vers la salle de bains.

La porte en était ouverte, mais la lumière n'était pas allumée.

Je me rendis à la cuisine. Jade n'y était pas.

Avec crainte, je montai l'escalier. Peut-être avait-elle décidé d'utiliser la salle de bains d'en haut, j'ignorais pourquoi...

Comme j'atteignais le haut de l'escalier, je vis Jade debout dans ma chambre. Elle me tournait le dos.

Je m'avançai en me dissimulant dans le passage et, sans bruit, j'entrai dans la pièce et me plaçai juste derrière elle.

Elle ne m'avait pas entendue, absorbée qu'elle était par ce qu'elle faisait.

Ainsi, c'était vrai.

Jade m'avait trahie et lisait en cachette le journal de Sophie !

Chapitre 23

— Qu'est-ce que tu fais là, Julie Diamant, criai-je à tue-tête.

Cachant le petit livre derrière son dos, Jade recula. Ses yeux écarquillés reflétaient sa frayeur. Je marchai vers elle pour l'acculer au mur. Mais, avec la rapidité d'une gazelle prise en chasse par un lion, elle bondit de côté.

— Donne-moi ça tout de suite, hurlai-je. Comment peux-tu oser me faire ça !

J'étais folle de colère. Jade, ma meilleure amie, m'avait trahie.

— Tu n'as pas honte ? Sournoise, hypocrite ! Entrer dans ma chambre pour lire mon journal !... Un journal, c'est privé, tu n'as pas le droit...

Le visage rouge de colère, nous étions nez à nez et roulions toutes deux des regards furieux. Je tremblais de rage. Elle semblait atterrée d'avoir été surprise en flagrant délit.

— C'est quoi l'idée de venir m'espionner jusque dans l'intimité de mon journal, hein ? Qu'espérais-tu y trouver au juste? lui demandai-je après m'être calmée.

Le visage défait, elle s'assit sur le bord de mon lit et passa ses doigts dans ses cheveux en désordre. Elle était pâle.

— Eh bien, Diane, ce n'est pas ce que tu crois...

Jade demeura silencieuse pendant un bon moment.

— Je ne sais pas par quoi commencer. Euh!... Je voulais te parler... Euh! Roch et moi avons remarqué combien tu as changé...

«Aaaah! maintenant c'est *Roch et moi* hein?» songeai-je. Mais je me contentai de dire à voix haute:

— Continue.

— Tu n'es pas toi-même. Tu n'es plus la Diane que nous avons connue. Tu changes ton image, ton aspect extérieur sans arrêt. Un vrai caméléon... Ce n'était pas dans tes habitudes d'être si instable... Et puis tous ces beaux vêtements neufs... Ça ne t'intéressait pas avant, ça non plus...

— Écoute, Jade. J'ai seulement le goût d'être à mon mieux... de faire bonne impression... de soigner mon apparence... d'être élégante... de trouver le style approprié à ma personnalité... Est-ce donc un crime?

Jade baissa les yeux.

— Je ne parle pas uniquement de ton apparence extérieure, de ton style ou de tes cheveux. Tu es maintenant extravertie. Tu n'arrêtes pas de parler...

Comme si tu voulais être le centre d'attraction tout le temps. Et puis tout d'un coup, sans crier gare, voilà que tu raffoles de la danse...

— Et puis après ? Oui, je fais toutes ces choses terribles, comme acheter des vêtements neufs au lieu de porter mes vieux jeans tout usés... Et, ô scandale ! je n'ai plus la même coupe de cheveux qu'au primaire. Et puis je m'exprime davantage... Tu as raison. C'est inadmissible, inacceptable, épouvantable, catastrophique ! Vite ! Vaut mieux aller lire mon journal hein ? Peut-être y découvriras-tu que j'ai l'intention d'acheter une paire de souliers. Est-ce vraiment cela qui vous inquiétait, *Roch et toi* ?

— C'est pas ça, Diane. Je n'essayais pas de te trahir, comme tu dis. Ce n'était pas méchant...

Les mots déboulaient de sa bouche.

— C'est juste qu'on s'en faisait à ton sujet... On était vraiment inquiets, tu sais... Euh !... À cause de ton comportement inhabituel... Franchement, Diane, ça nous fait un peu peur... Tu n'es vraiment plus la même... Je te le dis... Tu es comme... comme une autre personne...

Elle releva la tête et soutint mon regard.

— Écoute, Diane, il faut que je te le dise. Parfois, tu es tellement bizarre, tellement excentrique... J'ai tout simplement eu l'idée de jeter un coup d'œil dans ton journal, au cas où j'y trouverais la clé de l'énigme, ou quelques indices qui m'aideraient à trouver ce qui se passe ou ce qui te tourmente... J'ai juste pensé que j'y apprendrais quelque chose qui m'aiderait à *t'aider*.

Fantastique ! J'avais cru que si je mettais Jade au courant de mes « aventures » ou de mes « expériences », elle aurait pensé que j'étais capotée.

— Tu sais, Diane, tu ne peux pas m'en tenir rigueur de toute façon, dit Jade d'un ton sincère.

Elle me tendit le journal.

— Tu ne peux m'en vouloir, répéta-t-elle avec un sourire doux et triste à la fois. Il n'y a rien d'écrit dedans. Pas un seul mot.

Chapitre 24

Un silence de mort s'installa entre nous. Un silence à couper au couteau, qui resta suspendu dans l'air comme une brume arctique, même après le départ de Jade.

— Que le diable l'emporte, dis-je en lançant contre le mur le journal marron.

Il alla choir derrière ma table de chevet, renversant au passage ma belle lampe rose que j'aimais tant. Décidément, ce maudit journal me portait malheur.

Et dire qu'au début, sa lecture m'avait procuré tant de plaisir. J'avais aimé essayer ces choses, nouvelles pour moi, que Sophie y décrivait. Il m'avait aussi été agréable d'en connaître l'auteure à travers ses écrits. Cela avait été pour moi aussi plaisant que de lier une amitié nouvelle.

Mais ce n'était plus drôle. Imperceptiblement, au fur et à mesure que je lisais, les choses avaient changé. L'humour de Sophie, amusant au début, devenait de plus en plus méchant… voire macabre.

Et ses tours, de plus en plus pendables. Je n'avais plus le goût de suivre son exemple. Je décidai sur-le-champ de le laisser là où il était tombé. Et je jurai que, désormais, il ne serait plus pour moi que lettre morte.

J'allais quitter la pièce... mais une pensée traversa mon esprit. *Jade avait dit qu'il n'y avait rien d'écrit dans le journal.*

À quel jeu jouait-elle ? Voulait-elle me faire croire que j'étais folle ? Non. C'était invraisemblable ! À moins qu'elle n'ait rien lu, en supposant que les premiers feuillets aient été vierges. C'était probablement pour cette raison. Soudain, le doute m'assaillit. Impossible de me souvenir tout à coup, si, à la vérité, les pages du début étaient blanches.

Je devais en avoir le cœur net. Je retournai donc chercher le livret que je venais de condamner à l'oubli éternel.

Fébrilement, j'en ouvris le fermoir et tournai la première page. Je souris d'aise ; elle était blanche.

Je tournai le deuxième feuillet. Blanc, lui aussi. Et ainsi de suite. Jade m'avait dit la vérité. J'en fus soulagée. À la cinquième page, cependant, mon sourire s'effaça. Elle était blanche, tout comme les premières. Je me mis à feuilleter frénétiquement le journal tout entier.

Tout avait disparu. Pas la moindre petite trace d'écriture n'avait subsisté.

Absolument déconcertée, je dus m'asseoir. Ma pauvre tête chavirait-elle ? Avais-je tout imaginé ?

Si cela était vrai, eh bien, j'étais mûre pour la camisole de force. Confuse, je fixais le journal d'un regard hagard.

— Aaaaah !

Je poussai un profond soupir et laissai retomber mes épaules tendues… Je venais tout à coup de VOIR la couverture du journal, que j'avais négligé d'examiner, dans le feu de notre querelle. Ce n'était *pas* celui de Sophie.

Jade avait dû prendre celui que j'avais acheté l'autre jour et que j'avais déposé sur l'une de mes tablettes. Cela m'était arrivé à quelques reprises d'acheter des livres ou des journaux dont la couverture me plaisait.

Ouf ! En souriant de contentement, j'ouvris le tiroir où j'avais enfoui celui de Sophie. Il était bien là. Je l'ouvris. Les premiers feuillets étaient immaculés, tels que je me les rappelais. Mais les autres étaient remplis de son écriture fantaisiste…

Sans vraiment connaître la raison qui m'y poussait, je saisis ma plume pour écrire sur l'une des pages blanches. Ensuite, j'eus la nette impression qu'une main invisible guidait la mienne… Puis, comme si un esprit étranger avait pris ma place, j'entrai en transe…

Quand je repris mes sens, la transe terminée, le journal gisait à mes pieds sur le sol. À ma grande stupéfaction, j'avais recouvert plusieurs pages de mon écriture régulière. La couleur de l'encre de ma plume en était la preuve irréfutable…

Sur chacune des pages, une seule phrase se répé-
tait :

Trouve mon assassin.

Chapitre 25

— Nous allons commencer une recherche, aujourd'hui, déclara monsieur Paris, au cours de français. Vous devrez faire travailler vos petites cellules grises et solliciter votre imagination pour la mener à bien. Cela vous demandera du temps, mais vous aurez, je crois, du plaisir à la faire.

Les travaux de monsieur Paris étaient toujours intéressants et ne nous cantonnaient pas à l'intérieur de limites embêtantes et trop étroites.

Bien sûr, ils exigeraient plus d'efforts ; c'était plus difficile d'être paresseux ou de remettre un devoir bâclé.

Ou vous aimiez son cours, ou vous le détestiez.

— Nous allons aller à la bibliothèque pour y visionner les microfiches d'un ancien journal. Après les avoir regardées, vous choisirez un article sur lequel vous improviserez une histoire. Soyez créatifs. N'ayez pas peur d'inventer, conclut monsieur Paris avec un large geste de la main.

Sur ce, toute la classe s'en fut à la bibliothèque.

Jade marchait près de moi, tandis que je sentais dans mon dos le regard noir de colère de Roch. Il m'en voulait toujours de ma décision de ne pas aller au même cégep que lui. Je lui avais menti, à ce sujet, l'autre jour pour éviter une chicane. Mais plus tard, je lui avouai mon mensonge. Il en fut très blessé et me fit une scène terrible. Depuis ce temps, nous échangions à peine un regard ou une parole, quand nous nous croisions dans les corridors ou les salles de cours, à l'école.

Natacha, la bibliothécaire, nous attendait avec une boîte pleine de microfilms. Elle nous les distribua.

— Amusez-vous, les jeunes, nous dit-elle. Les visionneuses sont par là, ajouta-t-elle en nous indiquant du doigt le coin où elles étaient.

J'entamai ma recherche dans les pages imprimées d'événements passés d'un journal qui n'existait plus et qui avait pour nom *L'Écho de Val Plaisant*.

« Que pouvait donc raconter *L'Écho de Val Plaisant* ? » me demandai-je.

Hum ! Les prix, à cette époque, étaient certes plus bas qu'aujourd'hui.

Je comprenais pourquoi *L'Écho* était mort. L'hebdomadaire semblait publier surtout les petites nouvelles locales ou régionales. Ainsi, je lus que Rose-Marie Tremblay avait gagné le prix de la foire annuelle du comté, avec une courtepointe faite à la main, et qu'Albini Letendre avait ouvert un casse-croûte à l'enseigne du *Petit Cochon rose*.

— Tu trouves quelque chose ? s'enquit Annie en chuchotant.

— Rien de rien !

Annie eut un petit rire étouffé.

— Je vais être pognée à décrire une exposition canine, me confia-t-elle.

Nerveusement, je regardais les titres. Rien d'excitant. Rien d'intéressant. Je retournai voir Natacha pour lui demander les microfiches d'un autre numéro.

— Comment, tu n'as rien trouvé de fascinant encore ? dit-elle en riant, tout en secouant sa longue chevelure brune. Ça ne me surprend pas. Attends un peu, je vais aller chercher la clé des fichiers.

Pendant qu'elle regardait dans un tiroir, j'aperçus du coin de l'œil une photo sur son bureau : une rangée d'adolescentes debout en avant d'une bannière qui disait : « Mlle Ado de Val Plaisant ». Cette photo datait de plusieurs années, car ce concours de beauté n'avait plus lieu, à présent.

La jeune fille, au centre de la photo, avait sûrement remporté le titre. Elle était vêtue d'une robe rouge et avait en main un bouquet de roses. Quelque chose attira mon attention. Je regardai la photo de plus près.

L'adolescente en robe rouge avait les cheveux *extracourts*. « Scandaleusement courts », aurait-on dit dans ces années-là. Sa coupe ressemblait à la mienne. En fait, la mienne était une variation moderne de la sienne. Je notai aussi que ses ongles étaient rouges. Rouge écarlate.

Je pris la photo pour mieux l'examiner. Elle avait quelque chose de mystérieux. J'avais l'impression bizarre de me regarder dans un miroir. Pourtant, en scrutant le visage de la photo avec attention, je vis que les traits de sa physionomie étaient différents des miens. La couleur de ses cheveux différait aussi de la mienne. La sienne était couleur de flamme.

Mais où donc avais-je vu ce visage ?

Instantanément la mémoire me revint. Je ne pouvais pas me tromper.

J'avais vu ce visage pendant ma régression chez madame Alcyone, quand, après être retournée dans le passé, je m'étais retrouvée dans une chambre inconnue. Je m'étais alors regardée dans la glace, accrochée sur le mur au-dessus d'une commode. Et le visage du miroir, au lieu d'être le mien, était *le visage de la jeune fille, au centre de la photo*.

Chapitre 26

S'apercevant que je regardais la photo, Natacha m'adressa un grand sourire.

— C'est ma sœur, là en bleu, dit-elle en pointant la jeune fille vêtue de bleu, sur le portrait de groupe. Elle aurait dû remporter le titre de Mlle Ado de Val Plaisant au lieu de Sophie Roussin, ajouta-t-elle.

Elle secoua la tête énergiquement en remettant la photo sur son bureau.

Le nom de Sophie Roussin réveilla dans ma mémoire un écho oublié. Quand j'avais trouvé le journal, dans mon casier, j'avais cru que les initiales sur la page couverture étaient S.L. ou S.R. Le sentiment de crainte, qui était né en moi, s'accrût tout d'un coup.

Natacha se croisa les bras.

— Oublie ça, dit-elle. Sophie ne voulait nuire à personne. Tout ce qui l'intéressait dans la vie, c'était les garçons et les vêtements… et, bien sûr, écrire dans son éternel journal. Maintenant, elle est morte.

— Elle est *morte* ?

— Ouais. Noyée. Elle était allée se baigner, la nuit. Tu sais, elle était « sautée », si tu comprends ce que je veux dire.

— Avez-vous quelque chose là-dessus ? Euh !... Quand elle est morte, je veux dire ?

— Oui. Ç'a été une grosse affaire. Attends. Laisse-moi réfléchir. C'était quand, donc ? s'interrogea-t-elle en se grattant le dessus du crâne... Ah ! oui, je le sais ! Euh !... Vas-tu parler de ça dans ta rédaction ? me demanda-t-elle pendant qu'elle cherchait le microfilm.

— Peut-être, répondis-je.

Je pensais à la jeune fille vêtue de rouge, sur la photo. Ses cheveux étaient courts, tout comme les miens. Ses ongles étaient rouges... comme les miens.

J'avais aussi noté ses souliers rouges, ornés de petites boucles sur le devant. Ils ressemblaient étrangement à ceux que j'avais achetés, l'autre jour... L'intérieur de mes mains devint moite. Je me promis de ne jamais, jamais porter ces souliers rouges.

Mal à l'aise, j'observai Natacha qui revenait avec le microfilm.

— Tiens, le voilà, dit-elle en me le donnant. Il contient les exemplaires de deux mois de publication. Tu trouveras les décès à la fin de chaque numéro. Mais tu devrais vérifier les pages couvertures. Je me souviens que cet accident avait fait la une de *L'Écho*, le lendemain de sa mort. Ici, tu sais, des choses comme ça ne se produisent pas souvent…

— Merci.

Je m'installai près de la machine à visionner et y introduisis le microfilm d'une main tremblante. Puis je tournai le bouton pour faire avancer le film et trouver au plus vite l'article que je cherchais.

Et là, je vis le titre en grosses lettres rouges : RETROUVÉE MORTE DANS LE LAC.

Suivait un court article qui racontait comment Sophie était allée se baigner, au lac des Mauves, tard le soir après un party. Elle était accompagnée par une personne de son entourage, dont le nom n'avait pas été divulgué à cause des liens de cousinage qui l'unissaient à la victime. Selon l'article, cette personne aurait tenté de dissuader Sophie de se jeter à l'eau à une heure aussi tardive. Elle avait déclaré que sa cousine avait été prise d'une crampe au ventre et que, malgré ses efforts, il lui avait été impossible de la sauver.

Or, cet accident fatal s'était produit un 9 mai. *C'est-à-dire la journée même de mon anniversaire de naissance*. Il y avait de cela, exactement *seize ans*.

J'avais la bouche toute sèche et mes oreilles bourdonnaient comme si une nuée d'abeilles s'étaient mises à tournoyer autour de ma pauvre tête que martelait soudain un marteau invisible. Le journal parlait d'un accident tragique.

Mais moi, j'étais absolument certaine que c'était loin d'être un accident.

Non. *Il s'agissait bel et bien d'un meurtre.*

Chapitre 27

Le cimetière où Sophie avait été enterrée s'appelait « Terre d'émeraude ». Dès l'instant où j'avais lu le renseignement dans *L'Écho*, je souhaitai avoir fermé les yeux pour ne jamais le voir.

Une peur irraisonnée s'était emparée de moi à l'idée de voir *sa* tombe. Mais dès que j'en connus l'emplacement, je ne pus lutter contre la force irrésistible qui m'y attirait.

Sécher les cours, alors, ne me troublait plus guère, et sitôt que celui de monsieur Paris fut terminé, je pris ma voiture et mis le cap sur le site où les morts reposent, supposément en paix, de leur dernier sommeil.

La sympathique bibliothécaire m'avait expliqué comment m'y rendre. C'était facile. Je n'avais qu'à prendre le Vieux Chemin qui m'y amènerait, à quelques kilomètres de Val Plaisant.

Durant le trajet, de gros nuages gris montaient à l'horizon. Sombre présage ? Quelle serait ma réaction quand mon regard se poserait sur l'inscription de la pierre tombale érigée sur la fosse où *mon propre cercueil* était enseveli ? Cette pensée macabre me fit frissonner.

À mesure que je m'approchais, je notai que le terrain descendait en pente douce, du chemin vers le cimetière, dont le gazon était parsemé de monuments de pierre blancs, alignés sagement pour toute l'éternité... Un brouillard inquiétant m'enveloppa le cœur à l'idée que l'un d'eux veillait en sentinelle sur ma dépouille mortelle.

De lourdes portes de fer forgé noir marquaient l'entrée du cimetière. Une pensée inexplicable, aussi rapide qu'une étoile filante, traversa soudain mon esprit : ces portes auraient dû être recouvertes de peinture *blanc perle.*

Je stationnai mon auto et commençai à me promener parmi les pierres et monuments funéraires qui, çà et là, étaient veillés en permanence par des angelots de marbre blanc. Ma gorge se serra à la vue des petits monuments blancs qui indiquaient chacun le funeste emplacement d'un cercueil d'enfant.

Dans ce jardin réservé aux morts, longer, rangée après rangée, ces pierres aux inscriptions lapidaires, s'avéra une tâche plus ardue que je ne l'avais cru. La déception, telle une sombre brume, envahissait mon âme... Seigneur ! je n'y arriverais jamais... Seul le silence des tombeaux observait ma détresse...

Soudain, j'aperçus un homme portant une salopette, au dos de laquelle était imprimé le nom du cimetière. C'était le fossoyeur. Il était occupé à creuser une tombe.

— Excusez-moi, monsieur, je cherche quelqu'un, dis-je en m'approchant de lui.

— Et ce quelqu'un est mort, sans doute ? ironisa-t-il.

La plaisanterie était macabre. J'en fus déconcertée.

— Je cherche la tombe de Sophie Roussin.

Le fossoyeur ne daigna même pas relever la tête. Il continuait de creuser.

— Tu aurais dû t'informer au bureau, à l'entrée du cimetière, ma belle. Là, tous les lots sont identifiés et notés sur une carte.

— Oh ! dis-je d'une voix faible.

J'étais de plus en plus découragée, car le bureau était situé à l'autre bout du cimetière.

— Attends un peu, reprit l'homme, qui s'était appuyé sur sa pelle. J'ai nettoyé quelques sites funéraires, tout à l'heure. Il me semble avoir vu ce nom-là.

D'un geste, il repoussa sa casquette sur sa tête et essuya son front mouillé de sueur.

— Hum ! Va voir deux rangées derrière nous. C'est un monument de marbre blanc. Il y a un ange dessus. Tu ne peux pas te tromper.

Je remerciai le fossoyeur et pris la direction qu'il m'avait indiquée. Les croassements sinistres d'un corbeau traversèrent l'air qui, subitement, avait fraîchi. Le vent s'était levé et soufflait en rafales. Je levai les yeux vers le ciel. Maussade, il avait revêtu son habit de grisaille. Bientôt, je fus à l'endroit même où on m'avait enterrée. Sous mes pieds, gisaient les restes du corps qui avait transporté mon âme dans une existence antérieure. Une simple inscription était gravée sur le marbre: «*Ci-gît Sophie Roussin. Elle n'a pas subi, du temps, l'irréparable outrage.*» Qui avait donc emprunté ce vers à Racine, dans un passé antérieur, pour en fleurir ma tombe au présent?... Suivaient la date de sa naissance et celle de sa *mort*. Cette dernière coïncidait avec la date de ma propre naissance.

Bizarre, très bizarre même. Madame Alcyone m'avait dit que *le mois au cours duquel une âme entre en incarnation montre à cette âme le mois durant lequel elle est sortie de l'incarnation dans son existence antérieure.* «Par exemple, avait-elle ajouté, *puisque dans cette vie-ci, tu es née le 9 mai, sous le signe du Taureau, cela implique que, dans ta vie précédente, tu es morte durant le mois régi par ce signe.*»

Toutes sortes d'images et de pensées assaillirent mon esprit. Les phrases de madame Alcyone se mirent à tournoyer dans ma tête: «*... il n'y a point de mort. Il n'y a que l'entrée dans une vie plus abondante... la vraie mort est l'intégration dans la forme, et la matière n'est qu'une partie du Tout divin...*»

Combien de temps étais-je restée là, perdue dans mes pensées? Je l'ignorais. Mais je m'aperçus tout à coup que je pleurais, non pas parce que j'étais triste, mais parce qu'une tempête d'émotions bouleversait mon cœur et mon âme.

Je m'enfuis à toutes jambes et entrai dans ma voiture, le cœur battant et la gorge nouée. Je venais de toucher au mystère de la vie et de la mort... Je venais d'entrapercevoir l'éternité et la ronde incessante et cyclique des vies humaines, planétaires, stellaires... *« Les planètes et les étoiles sont aussi des vies incarnées..., elles représentent la partie visible, l'écorce, de millions d'existences intelligentes... »* m'avait révélé madame Alcyone. Mon esprit, effrayé, recula face à ce concept des plus stupéfiants. J'eus le vertige, tout à coup. Je venais de voir ma propre *tombe* dans laquelle gisait mon propre *cadavre*.

Chapitre 28

Le lendemain, à l'école, j'allais ouvrir mon casier lorsque Julie s'approcha de moi.

— Salut, Diane, je veux m'excuser pour tout ce que je t'ai dit l'autre soir. J'en suis navrée.

À voir ses yeux rougis, je savais qu'elle avait beaucoup pleuré. J'allais lui dire qu'il était trop tard pour éprouver des remords, mais je pensai à cette grande amitié qui, depuis des années, nous unissait.

— Oublie tout ça, Jade, ce qui est passé est passé !

Elle me serra dans ses bras.

— Je te donnerai un coup de fil, me dit-elle en s'éloignant.

J'ouvris mon casier pour y déposer mes affaires. J'allais le refermer lorsque Roch se présenta.

— Bonjour, Diane.

— Salut, lui répondis-je sèchement en me dirigeant vers la classe.

— Attends une minute, Diane, fit-il en me prenant le bras. Tu sais, tu m'as beaucoup manqué ces derniers temps.

Son geste éveilla en moi de doux souvenirs.

— Tu m'as manqué aussi, Roch.

J'avais envie de lui sauter au cou.

— Je regrette de t'avoir menti au sujet du cégep, ajoutai-je. Je voulais éviter une querelle entre nous.

— Je comprends. C'est aussi ma faute. Je t'ai peut-être trop harcelée.

— Tu semblais si contrarié que je voulais laisser le temps arranger les choses.

— Personne n'est parfait, Diane. Je sais que j'ai mauvais caractère, que je m'emporte facilement, mais je fais de grands efforts pour me contrôler, je te le jure. Tout ce que je désire, c'est que notre relation revienne au beau fixe.

Au fond de moi-même, j'étais d'accord avec lui, mais une certaine crainte subsistait en moi et m'empêchait de le lui avouer. Comment pouvais-je être certaine que Roch allait pouvoir maîtriser ses réactions ?

Comme s'il avait deviné mes pensées, il ajouta :

— Je ne suis pas un violent. C'est juste que, parfois, je grimpe dans les rideaux.

Il avait raison. Il posa sa main sur mon épaule :

— Allons ! Tiens, ce soir, que dirais-tu d'une petite balade ?

— J'aimerais ça, fis-je après une courte réflexion.

Pleine d'entrain, je pris le chemin de la maison. Les beaux jours semblaient revenir. Après une brouille, j'avais renoué avec mon meilleur ami. Et j'avais résolu de ne plus me laisser bouleverser par Sophie…

En passant devant le *Portail de la beauté*, ce fut plus fort que moi: je décidai de changer la couleur de mes cheveux... pour ressembler davantage à Sophie.

Je me dirigeai donc vers l'entrée. Le salon semblait vide. Était-il trop tard? Le salon était-il encore ouvert? Les lumières n'étaient pas éteintes. L'affiche FERMÉ n'était pas suspendue à la porte. J'entrai. La place était déserte.

La fouillant du regard, j'aperçus Rose assise sous un séchoir qui ne fonctionnait pas. Elle était si absorbée dans la lecture d'un magazine qu'elle ne semblait pas m'avoir vue arriver.

— Bonjour, Rose, lui dis-je d'une voix douce pour ne pas la faire tressauter.

Levant la tête, elle me toisa comme si elle attendait ma visite.

Chapitre 29

Rose ne paraissait nullement surprise de me voir. Elle posa le magazine sur une petite table en m'adressant un sourire. J'eus l'impression qu'elle ne regardait pas mon visage. On aurait dit que son regard me traversait pour se prolonger dans l'infini.

De nouveau, je lui adressai la parole.

— Rose, excusez-moi…

— Oh ! Diane, j'étais à des millions de kilomètres d'ici ! Aujourd'hui, les clientes ne m'ont pas laissé de répit. La dernière vient de partir et j'en ai profité pour faire une petite pause. Bon. Que puis-je faire pour toi ? Et ne me dis pas que tu désires une autre coupe de cheveux. Ils sont parfaits !

— Non, ce n'est pas la coupe, mais… la couleur. Avez-vous le temps de les teindre de couleur… brune ?

Rose parut décontenancée.

— Brun ? Tu veux changer du blond au brun ? Tu n'y penses pas ?

Elle leva les bras en l'air.

— Tout le monde veut changer. Les filles qui ont les cheveux naturellement bouclés veulent les faire défriser et celles qui ont les cheveux plats et raides veulent avoir des boucles. Les unes se font couper les cheveux courts et la semaine suivante, elles les voudraient longs. Alors, je ne suis pas surprise de voir que tu veuilles passer du blond au brun. Mais, n'oublie pas que les teintures trop souvent répétées abîment les cheveux.

— Oui, je sais. En fait, je n'avais pas pensé faire teindre mes cheveux une seconde fois. Au contraire, j'avais hâte de me revoir au naturel.

— Bon, voyons ça, commenta Rose. Tes cheveux naturels sont bruns... très foncés.

Elle se mit à feuilleter un magazine de mode.

— Tiens, regarde cette photo. Je crois que c'est la teinte de brun qui t'irait bien.

J'examinai le modèle qu'elle me montrait.

— Oui, j'aime cette couleur.

Rose referma le magazine et me tendit un sarrau.

— Tu peux aller changer de vêtement dans la salle de toilette.

Après avoir endossé le sarrau, je revins prendre place dans le fauteuil, pendant que Rose consultait un tableau qui, m'expliqua-t-elle, déterminait la quantité requise de chaque teinture pour arriver à la couleur choisie. Puis elle pénétra dans une petite pièce où elle entreposait différents produits de beauté. Elle en revint avec une petite bouteille remplie d'un liquide brun foncé qu'elle versa dans un bol en plastique.

Dans le miroir, je pouvais voir Rose en train d'appliquer la teinture sur mes cheveux.

— Tu parais d'excellente humeur, aujourd'hui, Diane. C'est ainsi qu'il faut prendre la vie, malgré les embêtements qu'elle nous apporte parfois. Serait-ce que tu aurais un nouvel amoureux ?

— Non, c'est le même. Nous nous sommes réconciliés.

Le miroir me renvoyait l'image d'une tête recouverte de boue brune.

Rose régla le compte-minutes.

— Encore quelques minutes et le tour sera joué ! me dit-elle en prenant place dans le fauteuil voisin du mien.

J'aime me retrouver dans ce salon, seule avec Rose. C'est comme si nous partagions une grande amitié, comme si chacune de nous prenait plaisir à coiffer l'autre.

Je mémorisai les détails de sa jupe et de sa blouse pour m'en confectionner de semblables. Rose se leva et se dirigea vers le comptoir de la caisse. Elle en revint avec une grosse tablette de chocolat qu'elle brisa en deux. Elle m'en offrit une moitié.

— Ton petit ami, c'est un garçon bien ? Est-ce que je le connais ?

— Heu, je ne sais pas. Dans une petite ville comme la nôtre, tout le monde ou presque se connaît. Il s'appelle Roch Daviault.

Rose fronça les sourcils.

— Je n'en suis pas certaine, mais je crois le connaître. Sa sœur vient se faire coiffer ici. Elle s'appelle Céline et conduit une petite auto rouge.

— Non, Roch n'a qu'un seul frère et pas de sœur, et il conduit une Mustang noire.

— Ah ! je sais maintenant ! Les frères Daviault... Roch Daviault... Tu devrais être très prudente lorsque tu sors avec lui. C'est lui qui a mauvais caractère, n'est-ce pas ?

La sonnerie du compte-minutes nous fit sursauter.

— Bon, c'est l'heure du shampooing, fit Rose sans attendre ma réplique à son commentaire sur Roch.

Je n'en fus pas frustrée. Le tempérament de Roch ne s'avérait-il pas pour moi une cause de souci ? D'un autre côté, comme le disait Roch lui-même, *personne n'est parfait*.

Je m'allongeai, la tête au-dessus du lavabo.

— Tu m'as dit, Diane, que Roch et toi iriez faire une balade. Sais-tu où ?

— Oh ! il a vaguement parlé d'une randonnée romantique en auto !

— Sois prudente, Diane.

Sa remarque ne me toucha guère. J'avais tellement hâte d'admirer la nouvelle couleur de mes cheveux, de reconnaître celle que *j'avais été*.

Rose n'en finissait plus : lavage, massage du cuir chevelu, relavage. Puis elle me tendit un sèche-cheveux portatif.

— Il est tard, Diane, et il me faut nettoyer le salon. Tu me rendrais service en séchant tes cheveux toi-même, comme tu les aimes.

— Avec plaisir, répondis-je, heureuse de rendre service à Rose.

Je sentais notre amitié grandir. D'autant plus que quelques minutes suffiraient pour sécher des cheveux courts comme les miens.

Je commençai donc à activer le séchoir. Une minute... deux minutes passèrent. Je m'aperçus, alors, que plus mes cheveux séchaient, plus ma surprise grandissait. Je n'en croyais pas mes yeux : ma chevelure était en train de passer du brun foncé au rouge... Je me frottai les yeux. Qu'arrivait-il ? Incroyable... mes cheveux étaient devenus... rouges... rouges...

— Rose ! Rose ! criai-je.

Elle s'approcha de moi, l'air ahuri.

— Mon Dieu ! s'exclama-t-elle.

— Rose ! Qu'est-il arrivé ? Avez-vous fait une erreur ?

Elle se précipita vers la poubelle et en sortit une bouteille de teinture vide.

— Mais non, je n'ai pas fait d'erreur. Regarde l'étiquette. C'est bien indiqué : BRUN. Ça me dépasse !

J'examinai la bouteille. L'étiquette indiquait bien BRUN.

Et pourtant, j'avais les cheveux rouge flamme, comme ceux de la fille dont j'avais vu la photo sur le bureau de la bibliothécaire.

J'étais le portrait vivant d'une fille morte.

Chapitre 30

Je me sentais malade, *très malade, mais j'avais l'air d'une morte.*

— Ne pouvez-vous pas faire quelque chose? lançai-je à Rose d'un ton désespéré.

Le visage blême, elle me fixait des yeux comme si j'avais été une espèce d'animal fantastique sorti des légendes grecques.

— Il doit y avoir une explication à ce mystère, me répondit-elle, les mains crispées.

— Rose, vous devez faire quelque chose, suppliai-je avec insistance.

Elle examina de plus près ma chevelure.

— C'est tout simplement mystérieux... Je n'ai jamais rien vu de pareil.

— Rose, nous sommes toutes deux témoins d'un phénomène inexplicable, mais que peut-on faire? Je ne veux rien savoir de cette couleur ni de cette apparence.

— Je te comprends fort bien, Diane, ajouta-t-elle d'un ton calme comme. La bouteille contenait une teinture brune et te voici avec des cheveux rouge flamme. J'en ignore la cause et je dois réfléchir pour trouver une solution.

Elle continuait à palper mes cheveux. Elle s'arrêta en me dévisageant.

— Sais-tu une chose, Diane ? En t'observant de plus près, je considère que cette couleur te va mieux que le brun. Oui. Je dirais que *c'est vraiment toi*.

Je ne m'attendais certes pas à cette déclaration.

Rose s'éloigna quelque peu tout en continuant son examen de ma personne.

— Personnellement, à titre de conseillère en beauté, je te suggérerais de garder tes cheveux tels quels. Pourquoi ne fais-tu pas un test ? Montre ta chevelure à tes amis et note leur réaction. De toute façon, il est tard et tu ne voudrais sans doute pas que je te fasse une nouvelle teinture.

— Non... fis-je, malheureuse, en regardant l'horloge.

De nouveau, je me contemplai dans le miroir. Je n'aimais pas ce que cette couleur me rappelait mais je devais l'admettre, ce rouge flamme m'allait bien.

— Il va sans dire que le traitement est aux frais du salon. Si, plus tard, tu décides de changer de couleur, il me fera plaisir de le faire gratuitement. Cette expérience est trop...

Elle se tut. Bizarre, sans doute, voulait-elle dire.

Je pris une profonde inspiration et me levai.

— Oui, cette couleur te convient bien, Diane,

peut-être est-ce l'essence de tes cheveux qui le veut ainsi.

Son sourire mi-sérieux, mi-moqueur me laissa perplexe. Pour moi, l'heure n'était pas à la plaisanterie.

D'un air embarrassé, je saluai Rose et franchit la porte du salon. Un instant après, elle y suspendait l'affiche FERMÉ.

J'espérais que les événements que nous venions de vivre n'allaient pas brouiller notre amitié.

— Oh ! s'exclama Roch en me voyant.

Durant de longues secondes, j'attendis la suite de ses commentaires. Que signifiait ce « oh ! » ?

— J'aime tes cheveux, enchaîna-t-il enfin.

Je montai dans sa voiture. Une douce brise printanière s'y infiltrait, signe précurseur des chaudes journées estivales.

— Diane, je voulais me retrouver seul avec toi pour pouvoir t'expliquer mon comportement.

Il regardait droit devant lui.

— Julie m'a dévoilé ses craintes. Elle croit que la pensée d'aller au cégep te fait peur.

Avant que je ne puisse m'objecter, il me fit voir qu'il se voulait neutre dans ce débat.

— Je ne dis pas que je suis de l'avis de Julie. Non, tout ce que je dis, c'est que, moi aussi, j'éprouve une certaine crainte à l'idée de me retrouver au cégep. J'ai toujours vécu dans une petite ville du Québec et me retrouver au cégep Ahuntsic, dans la grande ville de Montréal, n'est pas sans m'inquiéter quelque peu. Que nous réserve l'avenir ?

Après un silence ponctué d'un petit rire métallique, il poursuivit.

— Auparavant, je me disais que rien ne pouvait m'effrayer et j'y croyais, mais ce n'est plus le cas.

Un instant, il me regarda du coin de l'œil pour ensuite se concentrer sur la conduite de son auto. Après avoir répété ce petit manège trois ou quatre fois, il reprit la parole.

— En somme, ce que je veux expliquer, c'est que ta présence, près de moi au cégep, aurait fait s'évanouir cette crainte.

Roch venait d'admettre que l'idée d'aller au cégep l'intimidait. Je réalisai alors que Julie n'avait peut-être pas tort de penser que *j'étais*, moi aussi, effrayée.

— Ah ! Roch, qui peut prédire l'avenir après les études, hein ? lui fis-je remarquer en évitant de lui dévoiler mon intention de fréquenter, peut-être, une école d'arts ?

— Oui, qui peut prédire l'avenir ? répéta Roch d'une voix étouffée qui me laissa perplexe. Tu sais, Diane, il m'est difficile de t'imaginer sur les bancs d'une autre institution que la mienne, de te voir accepter les rendez-vous d'autres gars.

Il soupirait. Il s'agrippait au volant comme à une branche de salut. Sa tête me semblait bourdonner, près d'éclater.

— Faut que ça cesse ! lança-t-il d'une voix sourde. Faut que ça cesse !

Déjà, le soleil se couchait. Quelques instants plus tard, la pleine lune dévoilait, peu à peu, son rond visage roux.

Je consultai ma montre. Nous étions partis depuis plus d'une heure.

Roch tourna sur une route secondaire avant que j'aie le temps de lire le panneau indicateur.

— Roch, où allons-nous ?

Il regardait droit devant lui, à des milliers de kilomètres.

— Roch, répétai-je en élevant la voix. Où allons-nous ?

Silence.

— Roch, Roch, où diable allons-nous ?

— Surprise ! Diane.

Je me tournai vers lui. Son expression n'avait rien de taquin, rien d'espiègle. Ses yeux semblaient dégager une lueur... sauvage, presque terrifiante.

Chapitre 31

Je me disais: « Allons, Diane, tu sais bien que souvent l'imagination déforme la réalité, voyons ! » Mais, incapable de chasser mon inquiétude, je me recroquevillai sur moi-même. Les pages d'un livre surgirent dans mon esprit. On y expliquait l'étrange comportement de ces tueurs qui, un moment fort gentils, se transforment soudain en assassins.

— Je vais te faire découvrir le lac des Mauves, Diane. On m'a dit qu'une fille s'y était noyée il y a seize ans.

Mon cœur s'arrêta de battre. Mais, faisant un effort pour cacher ma peur, je balbutiai :

— Roch, heu... tu plaisantes... pourquoi voudrais-je que tu m'amènes visiter ce lac qui fut le tombeau d'une fille ?

Roch haussa les épaules.

— Voyons Diane. Il y a longtemps que cet accident est arrivé. Je suis persuadé que tu adoreras contempler le clair de lune et les milliers de diamants qu'il fait scintiller sur le miroir du lac. La grande paix ! La paix éternelle !

Les rayons de la lune jouaient à cache-cache parmi les branches des arbres, formant par moments une espèce de halo surplombant la chevelure de Roch.

— Comme c'est magnifique ! s'exclama-t-il. J'ai une idée... Que dirais-tu si nous allions prendre un bain de minuit, avec la lune comme seul témoin ? Tu n'auras peut-être plus la chance de te sentir aussi libre qu'un poisson dans l'eau !

« Tu n'auras peut-être plus la chance... »

Ses paroles résonnaient dans ma tête. Tel un éclair, une pensée me traversa l'esprit. Sophie avait écrit au début de son journal :

« Laisse-moi te raconter ma mort. Je me souviens d'avoir vu du sang. Du sang giclant partout autour de moi. Je croyais baigner dans mon sang. Puis je compris que je flottais dans l'eau. Une eau que des spirales sanglantes coloraient en rouge vif, autour de mon cadavre. »

Je fermai les yeux, comme si j'avais voulu fermer le journal, mais, hélas, les lignes suivantes du journal continuèrent à défiler devant mes yeux.

« ...Je savais qu'il s'agissait de mon propre sang, mais, aussi étrange que cela puisse paraître, cela ne me dérangeait pas. Je me sentais calme et paisible. »

Je réalisai alors que j'avais cessé de respirer.

J'avais tout compris. Je m'étais noyée « accidentellement », mais, ce n'était pas un accident.

On m'avait assassinée.

L'assassin et la victime se retrouvaient-ils à nouveau ? Et, si je ne posais pas un geste pour sauver ma peau, serais-je condamnée à subir encore et encore le joug de cette destinée ?

Je plaçai la main sur la poignée de la portière. Inutile de l'ouvrir, l'auto filait beaucoup trop vite. Je vis soudain que la route se terminait en cul-de-sac. Je priai le Ciel pour que Roch fasse demi-tour et reprenne le chemin de la maison.

Bang ! Quelque chose venait de heurter brutalement l'arrière de l'auto. La force de l'impact me coupa le souffle en m'enfonçant littéralement dans la banquette.

— Hé, es-tu fou ? cria Roch en regardant dans le rétroviseur.

Bang ! Un nouvel impact propulsa l'auto un peu plus loin.

— Hé, es-tu saoûl ? fit Roch en s'agrippant au volant pour contrôler la direction de l'auto.

Je regardai dans le rétroviseur latéral dans l'espoir d'y apercevoir l'autre voiture. J'entendis un crissement de métal contre métal. L'autre auto, telle une ombre infernale, heurtait le côté de notre voiture. La sueur perlait sur le front de Roch.

— Mais, c'est un vrai débile ! rugit-il.

— Roch, pourquoi nous faire ça à nous ?

— J'en sais rien, Diane. Qui est assez capoté pour se conduire de la sorte ?

Bang ! Bang ! Sous le choc, notre auto sortit de la route et se retrouva sur l'accotement de terre molle.

Sans perdre un instant, Roch tourna rapidement le volant et poussa au fond l'accélérateur pour revenir sur la route. Un jet de terre et de petites pierres arrosa l'auto-fantôme qui, en nous heurtant de nouveau, se retrouva à son tour en dehors de la voie.

Je redoublai d'effort pour tenter de reconnaître ce maniaque qui nous pourchassait de la sorte. Penché sur le volant, il portait une cagoule qui lui recouvrait le visage.

— Tiens-toi bien, Diane, ce drogué va voir ce qu'il va voir!

Les yeux de Roch crachaient le feu.

Lancée à fond de train, l'auto zigzaguait, cahotait. Dès que ce fou tenta de nous dépasser, Roch donna un coup de roue et frappa le premier. La manœuvre surprit notre maniaque. Son auto grise alla d'un côté à l'autre de la route. Il semblait en avoir perdu le contrôle. Nous prîmes de l'avance.

Roch actionna le klaxon, en souriant, comme pour célébrer sa victoire. Mais la bagarre n'était pas terminée.

Le chauffeur-fantôme avait repris le contrôle de son bolide plus rapide que le nôtre. Dans le miroir, je pouvais voir ses phares se rapprocher de nous. Le destin avait donc tracé un plan mortel pour moi. Quoi que je fasse, l'histoire allait se répéter et, ce soir, j'allais trouver la mort.

Roch y allait à pleins gaz mais le fantôme gagnait du terrain. Voyant cela, Roch tourna brusquement le volant vers la gauche.

— Je vais te montrer, face de rat ! rugit-il.

L'auto dérapa vers la gauche et amorça un tête-à-queue. Les arbres que les phares éclairaient s'avançaient rapidement vers nous. Le temps sembla accélérer et ralentir à la fois, dans une spirale vertigineuse.

Puis ce fut le choc terrible, accompagné d'un bruit de métal tordu et de verre brisé.

La dernière chose que j'entendis avant de m'évanouir fut le son strident du klaxon coincé qui troublait le silence de la nuit.

Chapitre 32

Je m'enfonçai dans l'eau ; des tourbillons rouges m'avalèrent et la mort m'agrippa... La douleur me tordait les entrailles... une crampe me tenaillait... J'avais mal... Effroyablement mal... Chacun de mes efforts pour tenter de nager resserrait l'étau douloureux qui me pliait en deux... Chaque fois, ma tête se retrouvait sous les flots assassins qui refermaient sur moi leurs ondes étouffantes... Je suffoquais... Je me noyais...

Pourtant, un élément manquait à la scène fatale...

Quelqu'un se tenait derrière moi.

Je savais qui c'était... mais son nom m'échappait, s'enfuyait de ma mémoire en dérive... C'était une présence, cependant, qui ne m'inquiétait pas... ses vibrations m'étaient familières... Ce quelqu'un était proche de moi, dans la vie...

Puis l'on m'assena un coup violent... une roche, peut-être... Le choc me fracassa le crâne d'une douleur intense... J'y sombrai tout entière... Je n'étais plus vraiment qu'une immense douleur... Après, ce fut le néant... Mon âme quitta mon corps...

* * *

Je flottais maintenant au-delà du réel... Il n'y avait plus ni commencement ni fin, ni haut ni bas, ni chaud ni froid... Une lumière diffuse baignait cette atmosphère où je ne distinguais rien... C'était comme un jardin où rayonnaient la paix et l'amour infini... Je me sentais enfin délivrée de tout mal...

Puis je vis tout à coup, au-dessous de moi, le corps que j'habitais coincé dans la voiture. J'y étais reliée par un long filament de lumière argentée... Il n'était pas brisé et respirait encore... « Il est chanceux », me dis-je... Au-dessus de moi, le manuscrit de Sophie dérivait dans le vide... et je compris que le choc de l'accident m'avait projetée en dehors de mon corps. J'étais dans un endroit qu'on appelle l'astral. J'avais communiqué avec cette mémoire liée à l'entité qui transportait mon âme dans ma vie antérieure... sous le nom de Sophie Roussin. Bref, le choc de l'accident m'avait donné accès à un fichier secret (*atome permanent*) d'habitude interdit à la conscience humaine. La mort avait ouvert une cloison fermée entre le moi d'hier et le moi d'aujourd'hui.

Le son du klaxon me ramena de mon voyage astral, je réintégrai mon corps et sentis le contrecoup contre ma boîte crânienne. Frissonnante et encore toute secouée, je revins complètement à moi et me dressai sur mon séant...

Où étais-je ?...

Mon regard erra en vain dans les ténèbres. J'avais mal partout... Je dépliai mes jambes et, lentement, j'inclinai mon torse vers l'avant du véhicule... Le souvenir de la poursuite folle assaillit ma mémoire... Je revis, dans ma tête, l'auto sombre comme une ombre infernale. Je ressentis soudain une vive douleur au bras. Je le bougeai avec précaution. Il était meurtri, mais non cassé. Puis j'aperçus Roch, affalé sur le volant.

Tremblant de peur, je tâtai son front. Il était chaud. Je palpai son cou et sentis battre son pouls sous mes doigts inquiets...

Il avait tenté de me tuer. J'en étais persuadée. Voilà pourquoi il m'avait emmenée ici, à l'endroit même où, dans ma vie passée, j'avais rencontré la mort... Après tout, s'il m'enlevait la vie, il ne serait pas forcé de partir et de me quitter. Il n'aurait plus à se tourmenter à mon sujet, ni à s'inquiéter de la présence possible d'un rival amoureux...

Mais le destin en avait décidé autrement. Quelqu'un nous avait frappés et projetés hors de la route...

Toc ! Toc ! Toc !

Je sursautai. Mon sang ne fit qu'un tour... Quelqu'un frappait contre la vitre de la portière...

Je scrutai la noirceur, mais ne vis rien. Puis une forme monstrueuse, plus noire que la nuit, se révéla à mes yeux angoissés.

Avais-je été épargnée une première fois d'un sort

funeste pour maintenant trouver la mort au fond des bois, aux mains d'un sinistre assassin anonyme ?

Pourquoi ce monstre noir m'observait-il à travers la vitre, à la manière d'une tarentule guettant sa proie ?

— Es-tu blessée ? demanda subitement le personnage surgi des bois.

Je songeai aux trolls maléfiques de la Norvège… « Heureusement, me dis-je, les portes sont verrouillées. » Et elles le resteraient. J'en fis le serment en moi-même.

C'était plus que je n'en pouvais supporter. La peur m'étranglait… J'allais m'évanouir et sûrement périr… Et si le noir personnage brisait la vitre et nous tuait, Roch et moi, d'un coup de hache, peut-être ?… Le cœur me manqua à cette épouvantable idée.

— Ouvre la porte !

Je fis semblant de ne rien avoir entendu et restai parfaitement immobile.

Soudain, le sombre individu repoussa le capuchon qui recouvrait sa tête… À la vue de son visage, mon cœur bondit de joie.

— Rose ! m'exclamai-je.

Jamais je n'avais été si heureuse de voir quelqu'un.

Je m'empressai de détacher ma ceinture de sécurité et voulus ouvrir la portière. Peine perdue. La poignée était coincée. Impossible de la bouger.

— Descends la vitre, me conseilla Rose en mimant l'action avec sa main.

La vitre descendue, je m'agenouillai sur la banquette. Puis, avec précaution, je sortis ma tête et mes épaules par la fenêtre. Ensuite, m'aidant de mes deux mains pour ne pas tomber, je réussis à me faufiler à travers l'ouverture.

Par bonheur, je suis souple. Et, avec l'aide de Rose, j'eus bientôt les deux pieds sur la terre ferme.

J'étreignis Rose avec émotion, tellement j'étais heureuse d'avoir échappé à la mort. J'avais les cheveux ébouriffés, les vêtements chiffonnés et je ne comptais plus mes bosses. Mais je m'en foutais royalement. J'ÉTAIS EN VIE !

— Comment as-tu fait pour savoir qu'il m'emmènerait ici ? Tu m'avais dit d'être prudente, de faire attention... Puis tu es venue à mon secours... Comment ça se fait ?...

Les mots dévalaient en cascade de ma bouche, pendant que Rose et moi étions dans les bras l'une de l'autre.

— Laisse faire... Disons que j'ai eu une intuition. Tu m'avais dit que vous iriez vous balader en auto. Alors, j'ai attendu, dehors, que tu sortes de chez toi et que tu montes à bord de la Mustang noire... Ensuite, je vous ai suivis... J'avais comme un pressentiment que vous vous retrouveriez ici, près du lac... de la MORT !

Chapitre 33

— Incroyable ! Mais comment, Rose, as-tu eu cette intuition de ce qui allait se passer ?

— Oh ! c'est tout simplement que je le savais... Allons, marchons un peu.

Encore étourdie, je la suivis. J'avais eu peur que Roch ne me tue.

— Ne crois-tu pas, Rose, que nous devrions chercher de l'aide ? Roch est peut-être gravement blessé ?

Elle continuait de marcher le long de la route, en avant de moi. Je pressai le pas pour la rattraper.

Roch, répétai-je, il faut secourir Roch...

— Tu t'inquiètes encore de lui ? Tu me surprends.

Je faillis trébucher sur une branche d'arbre. D'un pas ferme, Rose avançait toujours. Je la vis bifurquer et entrer dans le bois. Avais-je sur les bras deux blessés maintenant ? Était-il arrivé quelque chose à Rose aussi ?

— Rose, reviens, tu vas dans la mauvaise direction.

Elle s'arrêta un moment, mais, redressant la tête, elle poursuivit son chemin.

Le soulagement que je venais d'éprouver allait-il faire place au cauchemar de me retrouver isolée, en plein bois, avec deux accidentés ?

— Rose, rebrousse chemin !

Sans mot dire, elle allait droit devant elle. Lorsqu'elle se rendit compte que je ne la suivais plus, elle s'arrêta, à ma grande joie.

— Quelque chose t'est-il arrivé ? lui demandai-je en m'approchant d'elle. Quand tu as stoppé ta voiture, t'es-tu frappé la tête sur le pare-brise ?

Son rire aigu se répercuta dans le bois.

— Est-ce que je me suis heurté la tête ? reprit-elle avec un éclat de rire inquiétant qui secouait tout son corps.

Quelque chose n'allait pas. J'avais cette impression que l'on ressent en perdant l'équilibre avant de tomber. Pendant une fraction de seconde, vous priez pour reprendre pied et éviter une chute inévitable qui entraînera une grave blessure.

Cette fraction de seconde vous fait prendre conscience que votre sort est en jeu. Et c'est pendant cette fraction de seconde que je découvris le vrai visage de Rose et que je me dirigeais droit vers la catastrophe.

Ses yeux brillaient comme ceux d'un fauve prêt à sauter sur sa proie. Elle riait sans arrêt. D'un rire dément.

— Salut, Sophie, murmura-t-elle.

Je venais de tout comprendre.

Rose avait perdu la raison.

Je tentai de me dégager de l'étreinte de sa main; impossible!

Elle me tirait, me poussait à travers ce terrain densément boisé et accidenté, avec une rage diabolique. Je luttais de toutes mes forces tant pour me libérer que pour éviter de trébucher. Mais, implacable, elle continuait à me traîner sans s'arrêter de parler.

— Pourquoi es-tu revenue après toutes ces années, Sophie?

Elle me poussa d'un mouvement si sec que j'en perdis mes sandales.

— Je t'ai reconnue en classe, dès mon premier cours. Tu étais là, assise comme une petite sainte nitouche. J'avais peine à m'empêcher de me lever et de te pointer du doigt.

Son rire satanique accentuait la laideur de son visage.

— J'aurais dû me douter que tu deviendrais jolie à la suite de tes visites au salon; même coupe de cheveux qu'autrefois, même couleur de vernis à ongles. Tu n'allais certainement pas te présenter à mon salon de coiffure en me disant: «Te souviens-tu de moi?»

— Rose, intervins-je, tu te trompes, je ne suis pas celle que tu crois!

Elle continua de plus belle.

— J'ai cru que si tu lisais le journal, tu comprendrais que j'étais sur ta trace et que tu y penserais deux fois avant de m'affronter de nouveau.

La lumière se fit dans mon esprit.

— Ainsi, Rose, c'est toi qui avais placé le journal dans mon casier, ainsi que la carte à l'intérieur. Comment as-tu pu le faire ?

Elle eut un rire de satisfaction grotesque.

— Rien de plus facile ! J'avais conservé la clé de l'école après avoir terminé mes cours en soins de beauté. Depuis longtemps, je suivais tes allées et venues. Je connaissais le numéro de ton casier et ce fut un jeu d'enfant de l'ouvrir.

Avec horreur, je réalisai que Rose me traquait depuis belle lurette, bien avant que je ne découvre le journal.

Au cours des semaines durant lesquelles je m'étais régalée à la lecture du manuscrit de Sophie, elle n'avait cessé de m'épier en attendant...

— Tu aurais dû savoir qu'il était dangereux de te payer la tête de cousine Rose. L'heure est venue, pour toi, d'apprendre que je ne suis pas ta « cousine Bécassine ».

Cousine... Cousine Bécassine...

Comment expliquer qu'une personne devient la victime d'une histoire d'horreur vécue par une autre ?

L'approche certaine de ma mort m'apparut comme l'impossible devenu réalité.

J'avais percé le secret de Rose.

Le clapotis de l'eau me fit sursauter. Nous débouchions sur la rive du lac.

— L'endroit te semble-t-il familier ? me demanda Rose sur un ton empreint d'hypocrisie.

De nouveau, son rire moqueur me donna froid dans le dos.

« Oui, l'endroit m'est familier.

« Je fus jadis assassinée ici.

« Et il se peut qu'on m'assassine encore, ici au même endroit. »

Chapitre 34

Avec l'énergie du désespoir, je fonçai sur Rose. Ma seule planche de salut était de la pousser dans le lac avant qu'elle ne m'y précipite. Mais, la rive boueuse rendait toute attaque difficile.

Comme j'allais la frapper à bras raccourcis, mon pied s'enfonça dans un trou d'eau, me mettant hors d'équilibre. Rose me sauta au cou, par derrière, en me poussant avec force vers l'eau. La lutte n'était pas à forces égales et je tombai dans le lac. L'eau qui m'entrait par la bouche et le nez m'étouffait. Je réussis à me redresser à temps pour apercevoir Rose qui se dirigeait vers moi, une grosse pierre à la main.

Comme dans un film au ralenti, je voyais la pierre descendre... descendre...

Je fis un brusque mouvement de côté et la pierre effleura le côté de mon visage. L'élan de Rose lui fit perdre pied et profitant de son déséquilibre, je saisis la pierre et la lançai le plus loin possible dans le lac.

Rose, qui était tombée à l'eau, tenta de me faire basculer en me saisissant les jambes. Je plongeai, la tête la première, mais elle se jeta sur mon dos pour me caler. Je décidai de m'enfoncer plus profondément, l'attirant avec moi. Elle lâcha prise. J'en profitai pour remonter à la surface reprendre mon souffle. Rose était sous moi. Mon tour était venu de la retenir sous l'eau.

Je ne savais plus ce que je faisais. J'étais guidée par un instinct de survie animal, prête à tous les moyens pour survivre.

Rose ne se débattait plus, son corps flottait, inerte, mais ce n'était qu'une ruse de désespérée. J'allais mettre pied sur la rive lorsqu'elle s'abattit sur moi, m'entraînant de nouveau sous l'eau.

Nous tournions, tournoyions, agrippées l'une à l'autre, chacune tentant désespérément de prendre le dessus dans ce combat mortel. D'un solide coup de pied au ventre, je réussis à lui faire perdre prise et nageai vers le rivage pour m'enfuir vers le bois.

À peine avais-je fait quelques pas que Rose, plus rapide, réussit à me rattraper.

La lutte reprit de plus belle. Combien de temps dura-t-elle ? Je n'en sais rien.

À un moment, je sentis que Rose voulait en finir avec un assaut décisif.

Avec une volonté farouche qui décuplait mes forces, tel un bélier, je fonçai violemment sur elle.

Sous le choc, elle bascula, les pieds en l'air, et s'écroula lourdement sur le sol.

Durant quelques instants, je surveillai son corps, étendu sur la grève, immobile.

« Elle a voulu me tuer… elle a voulu me tuer », me répétai-je, près de la folie.

Soudain, un rayon de lumière perça la noirceur et éclaira tout ce qui m'entourait. Les pétarades d'un hélicoptère me donnèrent l'impression que je participais à un film d'horreur.

J'entendis un cri :

— Diane ! Diane !

Quelqu'un m'appelait. Je me tournai dans la direction d'où venait la voix.

Les rayons de la lune et les projecteurs de l'hélicoptère éclairèrent un fantôme à travers les branches. C'était Roch.

Un rugissement de sirènes et des phares d'auto fouillant la nuit ajoutaient à la scène effroyable où j'évoluais.

Un instant plus tard, Roch et des policiers m'entouraient. L'un d'eux prit Rose par les bras pour l'aider à se relever. Elle était couverte de boue, comme moi.

— Suivez-moi, me dit un policier d'un ton gentil en me conduisant vers le véhicule de la police de Val Plaisant.

Assise sur le siège arrière, aux côtés de Roch, je frissonnais et mes dents claquaient de froid… ou de peur. On me tendit une chaude couverture de laine dans laquelle je m'enveloppai. Roch me saisit la main, sans mot dire, comme paralysé par la sauvagerie de l'attaque dont nous venions d'être victimes.

— Merci de nous avoir sauvés, dis-je aux policiers assis sur la banquette avant. Vous remercierez aussi les deux autres qui ont amené « la folle » dans leur véhicule. Mais, dites-moi, comment avez-vous su ?

— Un prof nous avait donné un tuyau. Heu... j'ai oublié son nom.

— Monsieur Charles Paris, enchaîna son compagnon.

— Il nous a raconté qu'il était allé au salon de coiffure pour une coupe de cheveux et que Rose, la proprio, s'était mise à divaguer, à raconter des histoires insolites, bizarres. Elle devait se hâter parce que, disait-elle, elle devait aller assassiner sa cousine.

Or, monsieur Paris, nous a déclaré qu'il savait que la cousine de Rose était décédée depuis plusieurs années, qu'elle avait même été, avant son décès, sa petite amie à l'école.

Il l'a rappelé à Rose mais cette dernière, manifestement détraquée, avait une idée fixe : « l'œil n'était plus dans la tombe mais la regardait toujours » ; la cousine n'était plus morte. Elle vivait sous le nom de Diane Monet.

Chapitre 35

Rose débita toute l'histoire dès que nous fûmes au poste de police. Je n'avais pas d'autre choix que de l'écouter. Elle accepta de se confesser, lorsqu'on lui donna la permission de raconter son histoire directement à « Sophie », c'est-à-dire moi, qui, elle en était convaincue, était revenue du royaume des morts pour la hanter.

En phrases saccadées, hachées et décousues, elle nous révéla le drame de sa vie. Cela prit deux longues heures. Finalement, elle dénoua pour nous cette sombre et mystérieuse énigme. Tout avait commencé à l'époque où Charles Paris, Sophie et elle-même étaient étudiants au secondaire. Sophie s'était mise à détester Rose et ne ratait jamais une occasion de l'insulter et de l'humilier.

— Toi, tu t'en tirais tout le temps, me dit-elle comme si elle parlait à Sophie. Quoi que tu fasses, tu savais montrer patte blanche — sortir en cachette le soir, tricher en classe et dans tes devoirs, te maquiller, bien que cela ait été défendu… À part ça, tu étais la fille la plus populaire de toute l'école, malgré tout le trouble que tu causais. Moi, j'étais l'espèce de petit ange effacé et pâlot qui vivait dans ton ombre et que tu t'amusais à tourner en dérision… J'étais ta petite « cousine Bécassine », celle à qui tu faisais tant de misères…

Lorsqu'un soir Sophie la défia d'aller nager dans le lac des Mauves, Rose accepta bien que la peur l'étranglât.

— Soudain, tu as eu une crampe…

Rose tordit sa bouche en un semblant de sourire qui, en réalité, n'était qu'un rictus.

— Là, je savais que c'était un signe. Comme si, d'une certaine manière, une voix m'avait dit clairement : « Regarde, Rose. Vois comme ce sera facile… Vas-y. Finis ce que le destin a commencé… » Alors, j'ai ramassé une roche…

Rose fit une pause de quelques instants avant de continuer.

— Tout le monde m'a crue lorsque j'ai dit que j'avais essayé de te sauver la vie. J'avais la réputation d'être une bonne petite fille. Jamais je n'avais été méchante, avant ce jour-là… Tout le monde m'a consolée et m'a dit combien cela avait dû être triste pour moi d'avoir vu ma cousine se noyer ainsi sous mes yeux… Mais moi, j'étais la seule à savoir *pourquoi il fallait que tu meures*…

— POURQUOI ? m'écriai-je avec désespoir.

Rose me lança un regard si féroce qu'un policier dut lui mettre la main sur l'épaule pour la retenir. Elle continua son récit.

— J'étais la seule à savoir que tu étais dangereuse. Je savais que tu avais creusé des trous sur le parterre, en avant de la maison, et que tu les avais recouverts de branchages et de feuilles mortes pour que grand-maman se blesse à la cheville…

Rose se croisa les bras et commença à se balancer d'avant en arrière sur sa chaise.

— Oh ! j'étais au courant de tous ces *accidents* bêtes et méchants dont tu étais la cause ! Tout comme je savais que tu étais folle, Sophie. Dangereusement folle. Oui. Je le savais. Je lisais ton journal tout le temps…

Chapitre 36

Cher journal,

L'avenir a cessé de m'effrayer. Et je suis délivrée du sentiment de dualité qui me déchirait, quand j'avais l'impression que deux personnalités, l'une vivant aujourd'hui et l'autre ayant vécu il y a seize ans, s'affrontaient en moi.

À présent, je suis des cours aux Beaux-Arts ; je commence une nouvelle vie et je tente d'oublier ces affreux souvenirs.

Maintenant que j'ai survécu à cet infernal épisode de ma vie, je me sens plus forte qu'avant. C'est bizarre, mais ce cauchemar horrible fut, je crois, un mal pour un bien.

Par exemple, je prends davantage soin de ma personne et de mon apparence physique. Sans le journal de Sophie, j'aurais ignoré mes propres goûts. Comme, par exemple, le vernis à ongles rouge. Plus tard, j'essaierai sûrement d'autres teintes. Mais pour l'instant, j'aime le rouge.

J'ai aussi décidé que la couleur rouge flamme

de mes cheveux me convient parfaitement. Oui, je vais la garder, car mon nouvel ami aime ça. IL EST D'AVIS QUE CETTE TEINTE ME VA À MERVEILLE.

Et puis j'ai appris des choses insoupçonnées sur le monde invisible. Y aurait-il plus de choses dans le CIEL qu'on ne l'imagine ?...

Et... cette pauvre tante Gertrude... Je me dois de lui rendre visite au cimetière de Terre d'Émeraude où elle repose... Un triste accident *d'auto... Quand j'y pense, j'en ai des FRISSONS !*

Dans la même collection

1. Quel rendez-vous !
2. L'admirateur secret
3. Qui est à l'appareil ?
4. Cette nuit-là !
5. Poisson d'avril
6. Ange ou démon ?
7. La gardienne
8. La robe de bal
9. L'examen fatidique
10. Le chouchou du professeur
11. Terreur à Saint-Louis
12. Fête sur la plage
13. Le passage secret
14. Le retour de Bob
15. Le bonhomme de neige
16. Les poupées mutilées
17. La gardienne II
18. L'accident
19. La rouquine
20. La fenêtre
21. L'invitation trompeuse
22. Un week-end très spécial
23. Chez Trixie
24. Miroir, miroir
25. Fièvre mortelle
26. Délit de fuite

27. Parfum de venin
28. Le train de la vengeance
29. La pension infernale
30. Les griffes meurtrières
31. Cauchemar sur l'autoroute
32. Le chalet maudit
33. Le secret de l'auberge
34. Rêve fatal
35. Les flammes accusatrices
36. Un Noël sanglant
37. Le jeu de la mort
38. La gardienne III
39. Incendie criminel
40. Le fantôme de la falaise
41. Le camp de la terreur
42. Appels anonymes
43. Jalousie fatale
44. Le témoin silencieux
45. Danger à la télé
46. Rendez-vous à l'halloween
47. La vengeance du fantôme
48. Cœur traqué
49. L'étranger
50. L'album-souvenir
51. Danger ! Élève au volant
52. Vagues de peur

ACHEVÉ D'IMPRIMER
EN AVRIL 1995
SUR LES PRESSES DE
PAYETTE & SIMMS INC.
À SAINT-LAMBERT (Québec)